Cocina selecta

Arroz y pastas

Más de 175 exquisitas recetas

Grupo Editorial Tomo, S.A. de C.V.,
Nicolás San Juan 1043,
03100 México, D.F.

Published by:
R&R Publications Marketing Pty Ltd
ABN 78 348 105 138
PO Box 254, Carlton North, Victoria 3054 Australia

Nicolás San Juan 1043, Col. Del Valle, 03100, México, D.F.
Tels. 5575.6615, 5575.8701 y 5575.0186 Fax: 5575.6695
http://www.grupotomo.com.mx
ISBN-13: 978-607-415-254-8
Miembro de la Cámara Nacional de la Industria Editorial No. 2961

Traducción: Lorena Hidalgo Zebadúa
Diseño de portada: Karla Silva
Formación tipógrafica: Armando Hernández
Supervisor de producción: Silvia Morales

Este libro se publicó conforme al contrato establecido entre
R&R Publications Marketing Pty Ltd y
Grupo Editorial Tomo, S.A. de C.V.

Impreso en México - *Printed in Mexico*

cocina selecta

contenido

introducción

En casi cualquier cocina o restaurante encuentras pasta o arroz, o ambos, en una gran cantidad de tipos y formas. La pasta, cuyo origen se encuentra en los noodles orientales, ahora es un alimento común en el resto del mundo gracias a su popularidad en la cocina italiana. De igual manera, el arroz gracias al comercio, la migración y la exportación, hoy en día forma parte de los menús en muchas partes del mundo y es uno de los granos que más se cultiva.

Estos dos alimentos de primera necesidad también son de las comidas más versátiles que consumimos pues forman parte de muchos platillos en diferentes cocinas. Por ejemplo, el arroz en el *risotto* rústico italiano, o el arroz delicadamente sazonado con vinagre y acompañado de pescado en el *sushi*, o el arroz frito con huevo y carne de cerdo en los platillos chinos, o el postre de arroz dulce con leche y canela, o el arroz mezclado con mariscos en la paella o en la deliciosa jambalaya. Y qué decir de la pasta, un plato de espagueti a la boloñesa, la frescura del espagueti a la marinara o de los ravioles, un tazón de sopa de *noodles* con caldo de *miso*, un *curry laksa*, un *goulash* europeo con *noodles* y lasaña con fruta fresca. Existe un número casi infinito de opciones.

Incluso los platillos más sencillos de pasta y arroz pueden ser un festín. La pasta hervida rápidamente en mucha agua salada y mezclada con tomates, quesos italianos o hierbas picadas es una elegante cena que puedes preparar en muy poco tiempo; el arroz cocido al vapor con verduras o lentejas y algo de carne o pescado es un platillo de consumo diario en más de la mitad del mundo.

Resulta interesante el hecho de que, si divides al mundo en climas secos y húmedos, te das cuenta de que esa división también corresponde (quizá de manera más general), por un lado, a las cocinas cuyo ingrediente tradicional es el arroz y por el otro, a las cocinas que se basan en la pasta.

El arroz conforma la base de la alimentación en Japón, Corea, India, el sureste de Asia, partes de África y el Medio Oriente, mientras que la pasta es dominante en Italia y el resto de Europa. Y mientras que en las llanuras del norte de China preparan *zhajian mian* (*noodles* de trigo con carne de cerdo en salsa de soya) para la hora de la cena, los exuberantes valles del sur ofrecen *noodles* de arroz, fragante arroz blanco acompañado de carne y verduras y, desde luego, el consentido de todos, el arroz frito.

Con un alto contenido de carbohidratos complejos, un bajo contenido de grasa y grandes cantidades de vitaminas de tipo B y fibra en muchos casos, tanto la pasta como el arroz son bases económicas, nutritivas y fáciles de guardar para la comida moderna. Existen muchos tipos de arroz de entre los cuales escoger, como el *risotto* italiano, el arroz japonés para *sushi*, el arroz basmati, el arroz jazmín y el arroz salvaje —aunque éste último proviene de la semilla de una hierba diferente—. Dentro de estos tipos, también existen diferentes tipos de *risotto*, como el arborio y el carnaroli; los arroces basmati que se almacenan y se añejan durante distintos periodos; y los arroces asiáticos glutinosos y sin gluten como el *japónica* y el índica. La mayoría es fácil de conseguir —los supermercados comunes ofrecen más de una docena de variedades de arroz—. Para las personas que se preocupan por el índice glucémico de los alimentos (IG), el arroz basmati y el arroz integral contienen un bajo IG, mientras que todos los tipos de pasta contienen un bajo IG.

La pasta ofrece todavía más formas y tamaños que el arroz; los provenientes de su región central en Asia y de su segundo hogar en la zona del Mediterráneo. En su forma básica está hecha de trigo durum, harina de sémola y agua, otras manifestaciones incluyen huevo, queso y verduras como papa, calabaza y espinaca. La pasta seca tiene cientos de variantes para combinar con diferentes salsas

y platillos —*fusilli, macarrones, conchiglie, stortelli* y *orzo*, son sólo unas cuantas utilizadas en este libro—. Después tenemos las maravillosas pastas frescas, solas o rellenas, y del Este, los deliciosos *noodles hokkien* y *udon*, los *noodles* de arroz, el ramen y el delicado *soba* japonés, hecho de trigo sarraceno y servido con una salsa para acompañar.

Pero no te preocupes, con nuestras recetas paso a paso, cocinar todos estos tipos de platillos será tan fácil que te sorprenderá. Existen muchas similitudes en los procesos utilizados. Para comenzar te presentamos los métodos básicos para cocinar arroz, pasta y *risotto* que forman la base de muchas de las recetas de este libro. Las presentamos en cantidades para cuatro personas, pero si quieres disminuir o aumentar las porciones, como regla general, multiplica o divide la cantidad de pasta o arroz de acuerdo a lo que desees (junto con el agua o caldo, en el caso del arroz al vapor y el *risotto*).

Con la ayuda de estas sencillas técnicas podrás dominar los deliciosos platillos y sopas que te ofrecemos en este libro para hacer botanas, entradas o cenas ligeras, así como maravillosas ensaladas, platillos de verduras y pescados, y recetas con carne y aves que serán la delicia de los carnívoros. Terminamos con postres dulces de arroz y pasta que no podrás resistir.

Desde opciones para esas ocasiones en las que quieres impresionar a tus invitados —o cuando quieres darte una pequeña dosis de lujo— hasta baratas comidas entre familia y amigos que cocinarás una y otra vez, estas recetas te mantendrán muy bien alimentado, sin importar tus gustos o si eres un novato o un cocinero experimentado.

Arroz hervido

Enjuagar 2 tazas de arroz bajo el chorro de agua fría hasta que salga limpia. En una cacerola grande con agua hirviendo con sal colocar el arroz y cocer, sin tapar, durante 8 minutos aproximadamente o hasta que esté apenas tierno. Colar, reservar y mantener caliente. Porciones 4

El arroz integral precocido requiere aproximadamente el mismo tiempo de cocción que el arroz blanco, pero con el beneficio de que mantiene muchos más nutrientes que el arroz integral cocido.

Arroz al vapor

En una cacerola mezclar 2 tazas de arroz con 3 tazas de agua. Dejar que suelte el hervor, reducir a fuego lento, tapar y cocer durante 15 minutos. Retirar la cacerola del fuego, dejar reposar tapada durante 10 minutos. Porciones 4

No caigas en la tentación de destapar la cacerola durante la cocción o el tiempo de reposo pues se escapa parte de la humedad y es posible que el arroz no se cueza de manera adecuada.

Pasta hervida

En una cacerola grande colocar agua hirviendo con sal, añadir 500g de pasta y cocer durante 8 minutos o hasta que esté suave y el centro firme (al dente). Colar, reservar y mantener caliente. Para la pasta fresca reducir el tiempo de cocción de 2 a 3 minutos. Porciones 4

Es necesario usar suficiente agua hirviendo o de lo contrario la pasta se pega.

Risotto

En una cacerola hervir a fuego lento 1 litro de caldo. En otra cacerola grande calentar 1 cucharada de aceite, añadir 2 tazas de arroz arborio y cocer a fuego medio, revolviendo constantemente, durante 3 minutos o hasta que el arroz esté transparente. Verter 1 taza del caldo caliente a la mezcla del arroz y cocer, revolviendo constantemente, hasta que se absorba el líquido. Continuar el proceso hasta que se use todo el caldo y el arroz esté suave. Porciones 4

Utiliza el mejor caldo que encuentres pues es la base de un buen risotto; el hecho en casa es ideal aunque también puedes usar caldo en tetrabrik o en cubitos.

cocina selecta

entradas y sopas

HOJAS DE PARRA RELLENAS

Ingredientes

2 cebollas medianas, finamente picadas
2 tazas de arroz de grano medio
½ taza de aceite de oliva
4 ramitas de eneldo, picadas
½ taza de menta, picada
1 cucharada de sal
¾ de jugo de limón amarillo
40 hojas de parra

Preparación

1 En un tazón mezclar la cebolla, el arroz, el aceite, las hiervas y ½ taza de jugo de limón.

2 En agua hirviendo remojar las hojas de parra durante 15 minutos. Colocar en agua fría durante 10 minutos y acomodar sobre un paño de cocina para secar.

3 En el centro de cada hoja colocar una cucharada de la mezcla del arroz y doblar la hoja para encerrar el arroz (usar menos cantidad si las hojas son pequeñas).

4 En una cacerola colocar las hojas rellenas y cubrir con agua hirviendo. Añadir el resto del jugo de limón al agua. Colocar un plato sobre las hojas de parra y cocer durante 1 hora. **Rinde 40**

PASTELITOS DE ARROZ CON CANGREJO

Ingredientes

2 tazas de arroz jazmín, cocido
1 taza de cilantro fresco, picado
2 cucharaditas de granos de pimienta, machacados
Aceite vegetal para freír

Acompañamiento de cangrejo

170g de carne de cangrejo de lata, bien colada
2 chiles rojos, sin semillas, picados
2 chiles verdes pequeños, finamente rebanados
¼ taza de crema de coco
2 cucharadas de yogur natural espeso
3 cucharaditas de jugo de limón verde
3 cucharaditas de salsa de pescado
Ralladura de 3 limones verdes
1 cucharada de granos de pimienta negra, machacados

Preparación

1 En un molde para pastel de 18 x 28 cm mezclar el arroz, el cilantro y los granos de pimienta, presionar y refrigerar hasta que esté firme. Cortar la mezcla del arroz en 24 rectángulos.

2 En una cacerola grande calentar el aceite hasta que al colocar un cubito de pan se dore en 50 segundos. Freír los pastelitos de arroz, pocos a la vez, durante 3 minutos o hasta que estén dorados. Escurrir sobre papel absorbente.

3 Para hacer el acompañamiento, en un procesador de alimentos colocar la carne de cangrejo, los chiles rojo y verde, la crema de coco, el yogur, el jugo de limón y la salsa de pescado, procesar hasta que la mezcla esté suave. Incorporar la ralladura de limón y los granos de pimienta. Servir con los pastelitos de arroz calientes. **Rinde 24**

HOJAS DE PARRA RELLENAS

ROLLOS DE SUSHI

Ingredientes

4 láminas de nori (alga marina)

Wasabi (rábano verde picante)

¼ taza de salsa de soya

¼ taza de mirin (vino de arroz sin alcohol tradicional de la cocina japonesa)

Arroz para sushi

2 tazas de arroz de grano medio

1½ cucharadas de azúcar

½ cucharadita de sal

½ taza de vinagre de arroz

Rellenos

Pepino

Zanahoria

Jengibre encurtido

Rábano daikon

Aguacate

Atún, salmón, trucha o dorado, para sashimi

Preparación

1 Para hacer el arroz para sushi, en un tazón grande colocar el arroz. Cubrir con agua fría, mezclar bien con la mano, colar. Repetir el proceso de 2 a 3 veces hasta que el agua salga limpia. Dejar reposar en un colador de 20 a 30 minutos.

2 En una sartén grande de base gruesa a fuego alto colocar el arroz y 2¼ tazas de agua. Tapar con una tapa ajustada. Dejar que suelte el hervor, reducir a fuego medio y cocer durante 5 minutos. Reducir a fuego muy lento, cocer durante 10 minutos más, sin quitar la tapa. Retirar la sartén del fuego y dejar reposar, tapada, de 10 a 15 minutos; todo el líquido debe absorberse.

3 Mientras, en una sartén a fuego medio colocar el azúcar, la sal y el vinagre. Calentar hasta que el azúcar se disuelva.

4 Colocar el arroz en un tazón que no sea de metal. Enfriar el arroz. Con una cuchara plana o espátula de madera separar los granos de arroz haciendo movimientos cortantes, no revolver. Añadir lentamente la mezcla de vinagre al mismo tiempo. Continuar hasta que no salga vapor y el arroz siga caliente. Tapar con un paño húmedo y mantener a temperatura ambiente; no refrigerar el arroz para que no se endurezca.

5 Cortar los ingredientes del relleno en tiras largas y finas.

6 Para hacer los rollos, cortar cada lámina de nori por la mitad. Sobre una superficie limpia y seca colocar una pieza de nori con el lado brilloso hacia abajo. Con las manos mojadas colocar unas cucharadas del arroz en un lado de la nori. Untar un poco de wasabi (opcional porque es muy picante). Colocar el relleno en el centro del arroz. Enrollar la nori en forma de cono.

7 Combinar la salsa de soya y el mirin. Servir los rollos de sushi con la mezcla de la soya, wasabi extra y el jengibre. **Rinde 8**

SUSHI DE CABALLA

Ingredientes

1 filete de caballa

Sal

Vinagre de arroz

6 hojas de sansho (pimienta japonesa)

2 tazas de arroz para sushi (ver receta anterior)

Preparación

1 Retirar las espinas pequeñas de la caballa. Sobre un plato extendido colocar la caballa con la piel hacia abajo, cubrir con suficiente sal. Dejar reposar durante una hora.

2 Retirar la caballa, sacudir el exceso de sal. Colocar en un plato limpio y cubrir con vinagre de arroz, dejar marinar durante una hora. Retirar la caballa y secar con papel absorbente.

3 Sobre el centro de un tapete para sushi acomodar las hojas de sansho, colocar la caballa con la piel hacia abajo sobre las hojas. Colocar el arroz encima y presionarlo con los dedos húmedos. Verificar que el arroz esté colocado en una masa uniforme y con la superficie plana. Enrollar el tapete para sushi para crear un rollo con la caballa por encima. Colocar el sushi sobre la base de arroz. Con un cuchillo filoso y húmedo cortar el rollo en seis trozos iguales. **Rinde 6 piezas**

ROLLOS CALIFORNIA

Ingredientes

4 langostinos, pelados, sin vena
2 láminas de nori (alga marina)
1 taza de arroz para sushi (ver página 10)
2 hojas de lechuga, rebanadas
1 pepino pequeño, cortado en tiras a lo largo
½ aguacate, rebanado
1 cucharada de hueva de pez volador (tobiko)
1½ cucharadas de mayonesa

Preparación

1 En agua hirviendo cocer los langostinos durante 1 minuto, retirar y colocar de inmediato en agua fría con hielo. Cortar por la mitad a lo largo.

2 Sobre un tapete para sushi colocar una lámina de nori con el lado brillante hacia abajo. Colocar encima ½ taza de arroz, dejar un centímetro en la parte superior e inferior del alga. Colocar la mitad de los langostinos, la lechuga, el pepino, el aguacate, la hueva de pez volador y la mayonesa sobre la mitad del arroz a lo ancho.

3 Enrollar firmemente el tapete para asegurar que el relleno quede en su lugar. Retirar el tapete de bambú. Repetir con el resto de los ingredientes.

4 Con un cuchillo filoso y húmedo cortar cada rollo en 8 trozos iguales. **Rinde 16 piezas**

SUSHI DE SALMÓN

Ingredientes

120g de filetes de salmón sin piel, en rebanadas de 5mm de grueso
5 hojas de shiso (hierba aromática de Japón) cortadas en tiras de 5mm
3 tazas de arroz para sushi (ver página 10)

Preparación

1 Mojar un molde para sushi o forrar un recipiente de 25 x 7½ cm con papel aluminio. Dejar un sobrante de papel aluminio de 10 cm mínimo por lado.

2 Acomodar ⅓ del salmón para cubrir la base. Esparcir ⅓ de las hojas de shiso. Colocar la mitad del arroz, presionar. Repetir con ⅓ del salmón, ⅓ de las hojas de shiso y el resto del arroz. Por último colocar el resto del salmón y el resto de las hojas de shiso.

3 Colocar la tapa del molde o cubrir con el papel aluminio. Colocar un peso encima y dejar reposar por lo menos cuatro horas, o durante la noche.

4 Retirar el sushi del molde o recipiente y quitar el papel aluminio. Con un cuchillo filoso y húmedo, cortar en ocho porciones iguales y servir. **Rinde 8 piezas**

TOMATES YEMISTES

Ingredientes

12 tomates bola medianos maduros
1 cucharadita de azúcar
Sal y pimienta negra
½ taza de aceite de oliva
1 cebolla grande, finamente picada
¼ de piñones
1½ tazas de arroz de grano medio
½ taza de pasas
¼ taza de perejil, picado
¼ taza de menta, picada

Preparación

1 Voltear los tomates para usar la parte superior como base. En la nueva parte superior hacer un corte de ½ cm de grueso sin desprender por completo la tapa. Hacer la tapa hacia atrás y sacar la pulpa con una cuchara pequeña. Colocar una pizca de azúcar en cada cavidad, colocar sobre un recipiente para horno y reservar. En una cacerola colocar la pulpa del tomate con sal, pimienta y el resto del azúcar, calentar a fuego lento hasta que la pulpa esté suave. Pasar por un colador y desechar las semillas. Reservar el puré.

2 En una cacerola calentar la mitad del aceite y freír la cebolla hasta que esté suave. Añadir los piñones y revolver durante 2 minutos. Agregar el arroz, revolver un poco para cubrir los granos con el aceite, añadir las pasas, 1½ taza de agua caliente, el perejil, la menta y ½ taza del puré de tomate. Dejar que suelte el hervor y hervir a fuego lento de 10 a 12 minutos o hasta que todo el líquido se absorba.

3 Precalentar el horno a 180 °C. Colocar la mezcla del arroz en los tomates, dejar un poco de espacio para que el arroz se expanda, colocar las tapas en su lugar. Verter el resto del puré de tomate sobre los tomates y añadir ½ taza de agua al recipiente.

4 Verter el resto del aceite sobre los tomates y hornear, sin tapar, durante 40 minutos. Revisar durante la cocción; si están secándose añadir un poco de agua, si hay exceso de agua cocer un poco más para que se evapore. Los tomates deben estar rodeados de una salsa de tomate espesa. Servir calientes o fríos. Si se sirven fríos dejar que se enfríen en su salsa. **Rinde 12 piezas**

LASAÑA FRÍA DE ANGUILA ASADA

Ingredientes

4 hongos shiitake secos

1 anguila asada (unagi), 200g aproximadamente

Sansho (pimienta japonesa)

6 láminas de pasta para wontón

50g de hojas de lechuga mixtas

⅓ taza de ponzu (salsa japonesa)

2 cucharadas de aceite de oliva extra virgen

Preparación

1 Remojar en agua los hongos shiitake de 2 a 3 horas.

2 Cortar la anguila por la mitad a lo largo para obtener dos filetes muy delgados. Espolvorear con sansho.

3 En agua hirviendo cocer la pasta para wonton de 2 a 3 minutos, hasta que esté suave, colar.

4 En la base de un recipiente de 10 x 20 cm acomodar dos láminas de pasta. Acomodar la mitad de las hojas de lechuga sobre la pasta. Colocar la mitad de la anguila encima de la lechuga. Colocar otra capa de pasta encima. Cubrir con el resto de la lechuga, anguila y la pasta para wonton. Presionar ligeramente.

5 Quitar el exceso de humedad de los hongos y picar finamente. Mezclar los hongos, el ponzu y el aceite de oliva. Cortar la lasaña en cuatro porciones y servir con la salsa de hongos. **Porciones 4**

TOFU FRITO RELLENO

Ingredientes

10 bolsas de tofu frito (aburaage)

1 paquete de dashi, mezclado con ⅔ taza de agua (caldo de pescado)

3 cucharadas de salsa de soya

2 cucharadas de azúcar

1 cucharada de sake (bebida alcohólica japonesa)

1½ tazas de arroz para sushi (ver página 10)

1 cucharada de semillas de ajonjolí, tostadas

¼ zanahoria, hervida, rallada

Preparación

1 Cortar el aburaage por la mitad para rellenarlo.

2 En una cacerola combinar el dashi, la salsa de soya, el azúcar y el sake. Dejar que suelte el hervor y hervir a fuego lento el tofu de 10 a 15 minutos. Retirar del fuego, colar y enfriar.

3 Mezclar el arroz para sushi con las semillas de ajonjolí y la zanahoria.

4 Rellenar el tofu con la mezcla del arroz. No rellenar con demasiado arroz para evitar que se abra. **Rinde 20**

PELOTAS DE SUSHI

Ingredientes

3 langostinos, sin piel, sin vena
3 hongos shiitake frescos
6 rebanadas finas de salmón
6 rebanadas finas de atún
6 rebanadas de huachinango
3 filetes de sardina en vinagre
1 tanto de arroz para sushi (ver página 10)
½ pepino, en rebanadas finas
1 huevo duro, finamente picado
Jengibre encurtido

Acompañamientos

Caviar
Hojas de sansho (pimienta japonesa)
Rábano daikon rallado y chile
Hueva de salmón
Jengibre rallado y cebollín picado

Preparación

1 En agua hirviendo cocer los langostinos durante 1 minuto, colocarlos en agua fría con sal para enfriarlos de inmediato. Hacer un corte por debajo del langostino a lo largo, sin cortar del todo, y abrir en mariposa.

2 Cortar una cruz en el sombrero de cada hongo, cocer en agua hirviendo durante un minuto. Retirar y colar.

3 Sobre un pedazo de papel aluminio de 20 x 20 cm colocar dos trozos de pescado ligeramente traslapados. Colocar una bola de arroz para sushi encima, aproximadamente del tamaño de una bola de golf. Unir las esquinas del papel aluminio por encima del arroz, enrollarlas y apretar hasta que el arroz quede en forma de pelota. Retirar el papel aluminio y colocar la pelota de sushi en un plato para servir, con el arroz hacia abajo. Repetir el procedimiento con el resto del pescado, los camarones en mariposa, los hongos, el pepino y el huevo.

4 Colocar un poco de caviar sobre las pelotas de salmón, decorar el huachinango con las hojas de sansho y los hongos con rábano daikon rallado y chile. Colocar un poco de hueva de salmón sobre el huevo cocido y jengibre rallado sobre las sardinas junto con el cebollín. Servir con jengibre encurtido. **Rinde 24 piezas**

PELOTAS DE RISOTTO TOSTADO

Ingredientes

2 cucharadas de aceite de oliva
3 cebollas de cambray, finamente rebanadas
2 dientes de ajo, machacados
1½ tazas de arroz Arborio o de grano corto
1l de caldo de pollo o de verduras reducido en sal, caliente
50g de queso parmesano, rallado
50g de queso mozzarella, rallado
150g de semillas mixtas, como girasol o ajonjolí

Preparación

1 En una sartén grande calentar el aceite, añadir las cebollas de cambray y freír a fuego medio hasta que estén doradas. Añadir el ajo y el arroz, freír de 1 a 2 minutos más, hasta que el arroz esté transparente.

2 Verter una taza del caldo caliente a la mezcla del arroz y cocer, revolviendo constantemente, hasta que el líquido se haya absorbido. Continuar cociendo de este modo hasta utilizar todo el caldo y que el arroz esté suave. Incorporar los quesos y dejar enfriar durante 5 minutos.

3 Con las manos mojadas hacer 12 pelotas con el risotto. En un procesador de alimentos colocar las semillas y procesar hasta que parezcan pan molido grueso.

4 Esparcir las semillas en un plato y revolcar las pelotas de arroz para cubrirlas bien. En una charola para horno forrada con papel encerado colocar las pelotas y enfriar durante 10 minutos.

5 Precalentar e horno a 190 °C. Rociar ligeramente cada pelota con aceite de oliva en aerosol y hornear de 15 a 20 minutos hasta que la cubierta esté crujiente y dorada. Servir con rodajas de limón amarillo y ensalada verde. **Porciones 4**

AL SALTO

Ingredientes

2 cucharadas de aceite de oliva
3 cebollas de cambray, finamente rebanadas
2 dientes de ajo, machacados
1 ½ tazas de arroz Arborio o de grano corto
1l de caldo de pollo o verduras reducido en sal, caliente
50g de queso parmesano, rallado
50g de queso mozzarella, rallado
50g de mantequilla

Preparación

1 En una sartén grande calentar el aceite, añadir las cebollas de cambray y freír a fuego medio hasta que estén doradas. Añadir el ajo y el arroz, freír de 1 a 2 minutos más, hasta que el arroz esté transparente.

2 Verter una taza del caldo caliente a la mezcla del arroz y cocer, revolviendo constantemente, hasta que el líquido se haya absorbido. Continuar cociendo de este modo hasta utilizar todo el caldo y que el arroz esté suave. Incorporar los quesos y dejar enfriar durante 5 minutos.

3 Dividir la mezcla del risotto frío y hacer pelotitas, aplanar hasta obtener tortitas finas de 10 cm de diámetro. Si la mezcla del risotto no está muy pegajosa, añadir un huevo batido e incorporar bien antes de darle forma.

4 En una sartén grande derretir el aceite. Freír las tortitas en tandas hasta que estén doradas. Servir sobre hojas de espinacas baby y germen de soya. **Porciones 4**

También puede utilizar el risotto sobrante para esta receta.

PELOTAS DE RISOTTO TOSTADO

ROLLOS CON EL ARROZ POR FUERA

Ingredientes

4 láminas de nori (alga marina)

2 tazas de arroz para sushi (ver página 10)

Jengibre encurtido

Rellenos y acompañamientos

Anguila rebanada, pepino rebanado y langostinos blanqueados, con huevo cocido picado por encima

Tiras de atún, tiras de salmón, pepino rallado, chile, mayonesa y aguacate rebanado, con semillas de ajonjolí por encima

Tiras de calamar, pasta de ciruela, pepino rebanado y rábano daikon rebanado, con hueva de pez volador (tobiko) por encima

Tomates semi deshidratados, queso fetta desmenuzado y pepino rebanado, con el tallo verde de una cebolla de cambray en rebanadas finas por encima

Preparación

1 Sobre un tapete de bambú colocar una lámina de nori. Colocar ½ taza de arroz sobre el alga. Con los dedos mojados presionar el arroz para que quede uniforme y extender hacia las orillas.

2 Colocar una hoja de papel aluminio sobre el arroz, voltear el tapete de bambú para que el arroz quede abajo. Colocar el tapete de bambú y acomodarlo debajo del papel aluminio.

3 Colocar uno de los rellenos a lo largo del centro del alga. Enrollar el tapete.

4 Retirar el papel aluminio. Espolvorear el acompañamiento encima y cortar con un cuchillo filoso mojado en ocho porciones del mismo tamaño. Repetir el proceso con el resto de los rellenos y los acompañamientos. Servir con jengibre encurtido. **Rinde 32 piezas**

PASTA HORNEADA CON PAVO Y ARÁNDANOS

Ingredientes

200g de farfalle

100g de hojas de espinaca baby

200g de pechuga de pavo, finamente rebanada

6 huevos, ligeramente batidos

½ taza de leche

50g de queso cheddar, rallado

2 cucharadas de salsa de arándanos

Preparación

1 Rociar con aceite de oliva en aerosol 6 moldes grandes para muffins y forrar con papel encerado.

2 En una cacerola hervir agua con sal, añadir el farfalle y cocer durante 8 minutos o hasta que esté suave y el centro firme (al dente), colar. Forrar la base y los lados de los moldes con la pasta. Cocer las espinacas al vapor hasta que se marchiten, colar bien y quitar el exceso de humedad.

3 Precalentar el horno a 180 °C. Dividir las pechugas de pollo y las espinacas en los moldes.

4 Batir los huevos, la leche y el queso, verter la mezcla en los moldes. Colocar encima una cucharada de salsa de arándanos. Hornear durante 20 minutos o hasta que cuaje. Desmoldar y servir con ensalada verde. **Rinde 6**

TOMATES RELLENOS DE PASTA Y RÚCULA

Ingredientes

4 tomates bola grandes maduros
Sal
125g de pasta seca para sopa
50g de rúcula, rebanada
½ taza de aceite de oliva extra virgen
2 dientes de ajo, rebanados
½ cucharadita de chiles secos, picados
4 filetes de anchoa, colados
1 cucharada de vinagre balsámico

Preparación

1 Rebanar la parte superior de cada tomate, con una cucharita sacar la pulpa. Espolvorear sal en el interior, colocar los tomates con el corte hacia abajo sobre papel absorbente para que escurran durante 1 hora.

2 En una cacerola hervir agua con sal, añadir la pasta y cocer durante 8 minutos o hasta que esté suave y el centro firme (al dente). Colar y agregar la rúcula con 2 cucharadas del aceite.

3 En una sartén calentar el resto del aceite y saltear el ajo, los chiles y las anchoas durante 2 minutos o hasta que las anchoas se deshagan. Agregar la pasta y la rúcula, verter el vinagre e incorporar bien. Rellenar los tomates con la mezcla de la pasta y servir a temperatura ambiente. **Porciones 4**

FETTUCCINE CON SALSA DE CILANTRO

Ingredientes

500g de fettuccine
2 dientes de ajo, machacados
60g de nueces
1 taza de cilantro
½ taza de perejil
⅓ taza de aceite vegetal
60g de queso parmesano, rallado
Pimienta negra recién molida

Preparación

1 En una cacerola hervir agua con sal, añadir la pasta y cocer durante 8 minutos o hasta que esté suave y el centro firme (al dente). Colar, reservar y mantener caliente.

2 En un procesador de alimentos o en la licuadora procesar el ajo, las nueces, el cilantro y el perejil hasta que estén finamente picados. Sin apagar el motor añadir el aceite en un chorro constante. Agregar el queso parmesano y la pimienta negra, procesar para mezclar.

3 Servir la salsa sobre la pasta y revolver bien. Servir de inmediato. **Porciones 4**

CAPPELLINI CON JITOMATES, AJO Y ALBAHACA

Ingredientes

¼ taza de aceite de oliva
6 dientes de ajo, finamente rebanados
500g de jitomates Saladet, sin semillas, picados
⅓ taza de albahaca, picada
Sal y pimienta negra recién molida
400g de cappellini

Preparación

1 En una sartén calentar el aceite, añadir el ajo y saltear a fuego medio hasta que el ajo esté ligeramente dorado.

2 Reducir el fuego, agregar los jitomates, la albahaca, sal y pimienta, saltear durante 5 minutos hasta que los jitomates estén bien calientes.

3 En una cacerola hervir agua con sal, añadir la pasta y cocer durante 8 minutos o hasta que esté suave y el centro firme (al dente). Colar.

4 Servir la pasta con la mezcla del jitomate. **Porciones 4**

ESPAGUETI CON PESTO

Ingredientes

500g de espagueti
1 taza de albahaca
3 cucharadas de piñones
4 dientes de ajo, machacados
⅓ taza de aceite de oliva
Pimienta negra recién molida

Preparación

1 En una cacerola hervir agua con sal, añadir la pasta y cocer durante 8 minutos o hasta que esté suave y el centro firme (al dente). Colar, reservar y mantener caliente.

2 En un procesador de alimentos o en una licuadora procesar la albahaca, los piñones y el ajo hasta que estén finamente picados. Sin apagar el motor añadir el aceite en un chorro constante. Sazonar al gusto con pimienta negra.

3 Añadir el pesto al espagueti y revolver para mezclar. Servir de inmediato. **Porciones 4**

BISQUE O CREMA DE LANGOSTA

Ingredientes

1 langosta pequeña, cocida
1 zanahoria grande, picada
1 cebolla pequeña, finamente picada
125g de mantequilla
¾ taza de vino blanco seco
1 bouquet garni (ramillete de hierbas aromáticas y especias)
1 ½ litros de caldo de pescado
½ taza de arroz
Sal y pimienta negra recién molida
⅛ cucharadita de pimienta de cayena
½ taza de crema
2 cucharadas de brandy
¼ taza de perejil, picado

Preparación

1 Cortar la langosta por la mitad a lo largo, sacar la carne del caparazón y reservar. Envolver el caparazón en un paño de cocina viejo, romper con un martillo y reservar. En una sartén calentar la mitad de la mantequilla, añadir la zanahoria y la cebolla, saltear hasta que estén suaves, pero que no tomen color, aproximadamente 5 minutos. Agregar el caparazón y cocinar durante 1 minuto más, añadir el vino. Hervir hasta que reduzca a la mitad. Agregar el bouquet garni, el caldo, el arroz y cocer.

2 Después de 20 minutos aproximadamente, cuando el arroz esté suave, retirar los trozos grandes del caparazón y el bouquet garni. En un procesador licuar por tandas con el resto de la mantequilla. Colar, enjuagar el procesador para retirar los restos del caparazón y procesar el líquido colado, añadir la carne de la langosta (reservar unos trozos para decorar). Recalentar ligeramente.

3 Añadir sal, pimienta y pimienta de cayena, incorporar la crema, el brandy, cortar la carne reservada en rebanadas finas e incorporar. Servir muy caliente y decorar con perejil. **Porciones 4**

ALBÓNDIGAS EN SOPA DE HUEVO Y LIMÓN

Ingredientes

500g de carne molida de res
1 cebolla mediana, finamente picada
¼ taza de perejil, picado
¼ taza de arroz de grano medio
2 huevos
Sal y pimienta
⅓ taza de maicena
1l de caldo de res
50g de mantequilla
⅓ taza de jugo de limón amarillo

Preparación

1. En un tazón colocar la carne molida, la cebolla, el perejil, el arroz y 1 huevo, mezclar bien con las manos. Sazonar bien con sal y pimienta. Tomar una cucharada de la carne y formar las albóndigas. Revolcar en la maicena, agitar para retirar el exceso.
2. Hervir el caldo junto con la mantequilla, reducir el fuego y añadir las albóndigas al caldo. Tapar y hervir a fuego lento durante 45 minutos. Dejar enfriar ligeramente.
3. En un tazón batir el resto de los huevos y el jugo de limón, después añadir ½ taza del caldo caliente. Colocar la mezcla en la sartén y calentar ligeramente. Sazonar con sal y pimienta antes de servir. **Porciones 4**

SOPA ASIÁTICA DE MARISCOS

Ingredientes

1l de caldo de pescado
1 cucharada de kecap manis (salsa de soya dulce)
1 cucharada de salsa de pescado
1 cucharada de mirin (vino de arroz sin alcohol tradicional de la comida japonesa)
5cm de raíz de jengibre, finamente rebanada
2 coles chinas baby
3 cebollas de cambray, picadas
50g de champiñones ostra, rebanados
50g de hongos shiitake, rebanados
500g de pescados o mariscos, como langostinos, calamares y salmón
2 tazas de arroz blanco cocido al vapor
¼ taza de cilantro, picado

Preparación

1 En una cacerola calentar el caldo, cuando hierva añadir la salsa de soya dulce, la salsa de pescado, el mirin y el jengibre. Revolver bien.

2 Mientras, lavar la col china, separar las hojas y reservar. Rebanar los tallos blancos crujientes y reservar.

3 Agregar las cebollas de cambray al caldo hirviendo, añadir los champiñones y los hongos. Agregar los mariscos y el pescado, cortados al gusto, y hervir a fuego lento durante 5 minutos.

4 Añadir los tallos blancos de la col china y hervir a fuego lento durante 2 minutos más.

5 En cada tazón para servir colocar una cucharada de arroz en el centro y varias hojas de col a los lados. Servir la sopa en cada tazón y decorar con cilantro fresco. Servir de inmediato. **Porciones 4**

SOPA THAI DE ARROZ CON POLLO

Ingredientes

½ taza de arroz de grano medio
1 cucharada de aceite vegetal
1 diente de ajo grande, finamente picado
4cm de raíz de jengibre, finamente rallada
250g de muslo o filetes de pechuga de pollo, en cubitos
Pimienta blanca
2 cucharadas de salsa de pescado
1 cebolla mediana, finamente rebanada
¼ taza de cilantro fresco, picado
2 cebollas de cambray, picadas
1 chile rojo, finamente rebanado

Preparación

1 En una cacerola grande colocar el arroz y 2 litros de agua, dejar que suelte lentamente el hervor. Hervir a fuego lento y añadir el agua necesaria para que la mezcla adquiera una consistencia espesa.

2 En un wok o en una sartén grande calentar el aceite y freír revolviendo el ajo y el jengibre. Agregar el pollo, la pimienta y la salsa de pescado. Añadir la cebolla y seguir revolviendo hasta que el pollo esté cocido, aproximadamente 5 minutos. Añadir la mezcla del pollo al arroz. Justo antes de servir incorporar el cilantro y las cebollas de cambray. Verter en tazones calientes para servir, decorar con los chiles, hojas de cilantro y cebollas de cambray rebanadas. **Porciones 4**

SOPA ASIÁTICA DE MARISCOS

SOPA DE TOMATE Y GARBANZOS

Ingredientes

1 cucharada de aceite de oliva
1 cebolla pequeña, rebanada
2 dientes de ajo, machacados
125g de stortelli o macarrones
1 zanahoria pequeña, picada
1 calabaza italiana, rebanada
400g de tomates de lata, sin colar, picados
1 ramita de orégano, hojas separadas, picada
1½ l de caldo de verduras
400g de garbanzos de lata, colados, enjuagados

Preparación

1 En una cacerola grande a fuego lento calentar el aceite, añadir la cebolla y saltear, revolviendo durante 5 minutos o hasta que la cebolla esté ligeramente suave.

2 Agregar la pasta, la zanahoria, la calabacita, los tomates, el orégano y el caldo. Dejar que suelte el hervor, reducir el fuego y calentar a fuego lento durante 10 minutos. Incorporar los garbanzos y cocer durante 8 minutos más, hasta que la pasta esté cocida y firme en el centro. **Porciones 4**

Si no puede encontrar stortelli, puede sustituirlo con cualquier otro tipo de pasta tubular

SOPA DE ESPAGUETI CON BRÓCOLI

Ingredientes

100g de espagueti
75g de mantequilla
1 diente de ajo, machacado
1 cebolla grande, picada
2 tiras de tocino, picadas
1kg de brócoli, en racimos
200g de calabacita italiana, rebanadas
¼ taza de perejil, picado
1½ l de caldo de pollo
Sal y pimienta negra recién molida
40g de queso parmesano

Preparación

1 En una cacerola con agua hirviendo con sal cocer la pasta durante 8 minutos o hasta que esté suave y el centro firme (al dente). Colar, reservar y mantener caliente.

2 En una cacerola grande calentar la mantequilla, dorar ligeramente el ajo, la cebolla y el tocino.

3 Añadir el brócoli y saltear de 2 a 3 minutos. Agregar las calabacitas, el perejil, el caldo, sal y pimienta. Dejar que suelte el hervor y hervir a fuego lento hasta que el brócoli esté cocido, aproximadamente 20 minutos.

4 Justo antes de servir añadir el espagueti y calentar bien. Servir con queso parmesano y perejil picado extra. **Porciones 4**

SOPA DE PASTA CON CHAMPIÑONES

Ingredientes

1 zanahoria pequeña, cortada en tiras finas
1 tallo de apio, cortado en tiras finas
3 cebollas de cambray, cortadas en tiras finas
1½ litro de caldo de verduras
½ taza de jerez seco
200g de champiñones, cortados en cuartos, rebanados
100g de espagueti
Pimienta negra recién molida

Preparación

1 En una cacerola colocar la zanahoria, el apio, las cebollas de cambray, el caldo y el jerez, dejar que suelte el hervor.

2 Mientras, en una sartén grande de teflón cocer los champiñones a fuego medio durante 5 minutos, agregarlos a la cacerola.

3 Reducir el fuego, añadir la pasta y cocer de 2 a 3 minutos o hasta que la pasta esté lista. Sazonar al gusto con pimienta negra. **Porciones 4**

Esta receta también funciona como sopa de estilo asiático. Sólo sustituya el jerez con mirin, sustituya la pasta con fideos japoneses y ponga encima de cada plato de sopa unas gotas de aceite de ajonjolí y cebollas de cambray picadas.

SOPA FRANCESA DE VERDURAS CON PISTOU

Ingredientes

150g de frijoles pintos secos
20g de mantequilla
1 cebolla pequeña, finamente picada
150g de ejotes, cortados
150g de calabacita italiana o calabaza de castilla, en rebanadas de 5mm de grueso
2 papas medianas picadas
1¾ l de agua
1 cucharadita de sal
50g de farfalle

Pistou

¾ taza de albahaca fresca
3 dientes de ajo, machacados
1 jitomate Saladet, pelado, picado
1 cucharadita de puré de tomate
40g de queso parmesano o gruyere, rallado
3 cucharadas de aceite de oliva

Preparación

1 En un tazón colocar los frijoles, cubrir con agua fría y dejar reposar durante toda la noche. Colar. En una cacerola colocar los frijoles y cubrir con agua fría, dejar que suelte el hervor, tapar y hervir a fuego lento durante 15 minutos, colar.

2 En una sartén grande derretir la mantequilla, saltear las verduras hasta que estén suaves, aproximadamente 5 minutos. Añadir el agua y la sal. Tapar y hervir a fuego lento durante 1 hora.

3 Agregar el farfalle a la sopa y cocer durante 15 minutos más.

4 Para hacer el pistou, en un procesador de alimentos o en la licuadora procesar la albahaca y el ajo. Añadir el jitomate, el puré de tomate y el queso. Licuar hasta obtener una pasta, añadiendo gradualmente el aceite. Incorporar el pistou en la sopa justo antes de servir. Servir muy caliente con pan crujiente. **Porciones 4**

SOPA DE LENTEJAS VERDES Y CHÍCHAROS

Ingredientes

400g de lentejas verdes
1 cebolla pequeña, finamente picada
1l de caldo de verduras
50g de mantequilla
30g de harina común
2 cucharaditas de curry madrás en polvo
100g de espagueti fino, en trozos
⅓ taza de crema espesa
¼ taza de menta, picada
Pimienta negra recién molida

Tostadas de queso

1 baguete
100g de queso crema
100g de queso parmesano
1 cucharadita de pimienta negra

Preparación

1 En una cacerola colocar el caldo, los chícharos, las lentejas y la cebolla; dejar que suelte el hervor. Reducir el fuego y hervir a fuego lento, revolviendo ocasionalmente, de 40 a 50 minutos o hasta que las lentejas estén cocidas.

2 Retirar la sartén del fuego y dejar que se enfríe ligeramente. En un procesador de alimentos o en la licuadora licuar la mezcla de los chícharos hasta formar un puré. Reservar.

3 En una sartén derretir la mantequilla a fuego medio, añadir la harina y el curry en polvo, cocinar durante 1 minuto, revolviendo. Retirar la sartén del fuego, incorporar gradualmente 3 tazas de agua y seguir revolviendo hasta que esté suave. Regresar la sartén al fuego y cocer, revolviendo, hasta que la sopa hierva y espese.

4 Reducir el fuego, incorporar el puré de chícharos y el espagueti, calentar a fuego lento durante 10 minutos o hasta que todo el espagueti se haya cocido.

5 Mientras, hacer las tostadas de queso. Cortar la baguete en rebanadas de 5mm de grueso, tostar un lado en la parrilla hasta que estén doradas. Mezclar el queso crema, el queso parmesano y la pimienta. Untar la mezcla del queso en el lado sin tostar de las rebanadas de pan. Regresar a la parrilla y calentar de 3 a 4 minutos o hasta que el queso se derrita.

6 Incorporar la crema, la menta y la pimienta negra a la sopa, hervir a fuego lento durante 1 minuto. Servir en tazones individuales, colocar una tostada de queso en cada uno y decorar con una ramita de menta.
Porciones 4

SOPA DE ESPAGUETI CON ALBAHACA

Ingredientes

150g de espagueti, en trozos
2 cucharadas de aceite vegetal
1 cebolla, picada
2 dientes de ajo, machacados
60g de almendras, en pedacitos
1l de caldo de pollo
1 taza de albahaca, picada
Pimienta negra recién molida

Preparación

1 En una cacerola hervir agua con sal, añadir la pasta y cocer durante 8 minutos o hasta que esté suave y el centro firme (al dente). Colar, reservar y mantener caliente.

2 En una cacerola grande calentar el aceite, añadir la cebolla, el ajo y las almendras, saltear a fuego medio, revolviendo, de 6 a 7 minutos o hasta que las cebollas estén transparentes.

3 Añadir el caldo y la albahaca a la cacerola, dejar que suelte el hervor, tapar y hervir a fuego lento durante 10 minutos. Incorporar el espagueti y sazonar al gusto con pimienta negra. Verter la sopa en tazones individuales y servir de inmediato. **Porciones 4**

SOPA DE POROS Y CHAMPIÑONES

Ingredientes

50g de mantequilla
2 poros, en rebanadas finas, lavados
1 cucharada de semillas de mostaza amarilla
250g de champiñones, rebanados
8 ramitas de tomillo fresco, hojas separadas, desechar los tallos
1l de caldo de verduras
125g de risoni
½ taza de crema

Preparación

1 En una cacerola grande derretir la mantequilla a fuego medio, añadir los poros y las semillas de mostaza, saltear revolviendo durante 5 minutos o hasta que los poros estén suaves y dorados.

2 Añadir los champiñones y el tomillo a la cacerola, cocer durante 5 minutos más. Agregar el caldo y la pasta, dejar que suelte el hervor, reducir el fuego y hervir a fuego lento durante 15 minutos o hasta que la pasta esté suave. Incorporar la crema y hervir a fuego lento durante 5 minutos más. **Porciones 4**

El risoni se puede sustituir por cualquier otra pasta pequeña.

SOPA DE ZANAHORIAS, LENTEJAS Y PASTA

Ingredientes

100g de macarrones
1 cucharada de aceite de oliva
1 zanahoria, picada
2 cebollas pequeñas, picadas
2 dientes de ajo, machacados
½ cucharada de garam masala (mezcla de especias aromáticas de la cocina hindú)
200g de lentejas amarillas
2l de caldo de verduras
¼ taza de cilantro, picado

Preparación

1 En una cacerola hervir agua con sal, agregar la pasta y cocer durante 8 minutos o hasta que esté suave y el centro firme (al dente). Colar, reservar y mantener caliente.

2 En una cacerola calentar el aceite a fuego medio, añadir las zanahorias, las cebollas y el ajo, saltear revolviendo ocasionalmente, durante 10 minutos o hasta que las verduras estén suaves. Agregar el garam masala y cocinar, revolviendo, durante 1 minuto más.

3 Añadir las lentejas y el caldo a la cacerola, dejar que suelte el hervor. Reducir el fuego y hervir a fuego lento, revolviendo ocasionalmente, de 30 a 40 minutos o hasta que las lentejas estén cocidas. Enfriar ligeramente.

4 En un procesador de alimentos o en la licuadora procesar la mezcla de la sopa, en tandas, hasta obtener un puré. Colocar el puré en una cacerola limpia, agregar la pasta y cocer a fuego medio, revolviendo, durante 5 minutos o hasta que la sopa esté caliente. Incorporar el cilantro y servir de inmediato. **Porciones 4**

SOPA DE CAMOTE, PASTA Y POROS

Ingredientes

2 cucharaditas de aceite de canola
2 poros, finamente rebanados, lavados
1 pizca de hebras de azafrán
1kg de camotes, pelados, picados
1l de caldo de pollo reducido en sales
1 ramita de canela
1 bouquet garni (ramillete de hierbas aromáticas y especias)
100g de ditalini o cualquier otra pasta pequeña
½ manojo de cebollín, picado

Pan lavash crujiente

2 rebanadas de pan lavash (parecido a las tortillas de harina)
1 cucharada de aceite de oliva
40g de queso parmesano, rallado

Preparación

1 En una cacerola grande calentar el aceite, añadir los poros y saltear a fuego medio aproximadamente 5 minutos o hasta que los poros estén suaves y dorados. Agregar el azafrán y el camote, revolver durante 5 minutos o hasta que el camote comience a suavizarse.

2 Verter el caldo, añadir la canela y el bouquet garni. Dejar que suelte el hervor, reducir el fuego y hervir a fuego lento durante 30 minutos o hasta que el camote esté muy suave. Retirar la ramita de canela y el bouquet garni.

3 En una cacerola hervir agua salada, añadir la pasta y cocer durante 6 minutos o hasta que esté suave y el centro firme (al dente). Colar, reservar y mantener caliente.

4 Licuar la sopa en tandas hasta que esté suave, devolverla a la cacerola junto con la pasta y recalentar ligeramente. Añadir un poco de agua si está muy espesa.

5 Con un molde para galletas en forma de estrella cortar las rebanadas de pan, barnizarlas ligeramente con el aceite, espolvorear el queso parmesano y colocar otra estrella encima. Asar hasta que estén crujientes y doradas. Servir la sopa en tazones individuales, espolvorear el cebollín y servir con el pan crujiente. **Porciones 4**

cocina selecta

ensaladas

ENSALADA THAI CON ARROZ Y JENGIBRE

Ingredientes

2 tazas de arroz de grano largo
5 cebollas de cambray, finamente picadas en diagonal
3 zanahorias medianas, ralladas
4 coles chinas baby, picadas
2 limas, finamente rebanadas
½ taza de cilantro, picado
1½ taza de cacahuates asados, picados
1 cucharada de semillas de ajonjolí negro
¼ taza de albahaca tailandesa, finamente picada

Aderezo

2 cucharadas de aceite de cacahuate
Jugo de 2 limones verdes
3 cucharadas de salsa de pescado
2 cucharadas de azúcar de palma
2 cucharadas de salsa de chile dulce
4cm de raíz de jengibre, finamente picada
1 pizca de chile en polvo
Sal y pimienta

Preparación

1. En una cacerola hervir agua con sal, añadir el arroz y hervir a fuego lento de 8 a 10 minutos o hasta que esté suave. Colar y enjuagar bien en agua fría, colar de nuevo.
2. Mientras, hacer el aderezo. Batir el aceite, el jugo de limón, la salsa de pescado, el azúcar, la salsa de chile dulce, el jengibre, el chile en polvo, sal y pimienta, dejar reposar hasta que el arroz esté listo.
3. Preparar todas las verduras y mezclar bien con las hojas de lima, el cilantro, los cacahuates y las semillas de ajonjolí. Agregar el arroz cocido e incorporar bien.
4. Verter el aderezo sobre la mezcla del arroz, revolver bien para bañar todos los ingredientes. Añadir la albahaca tailandesa y servir. **Porciones 4**

ENSALADA ARMENIA DE TOMATES RELLENOS

Ingredientes

8 tomates bola grandes
⅓ taza de aceite de oliva
1 cebolla grande, finamente picada
1 poro grande, sólo la parte blanca, finamente picado
3 tazas de arroz blanco o integral, cocido al vapor
½ taza de piñones, tostados
¾ taza de pasas
½ taza de perejil, picado
¼ taza de menta, picada
¾ cucharadita de sal de mar
½ cucharadita de pimienta negra
2 dientes de ajo, machacados
½ taza de caldo de verduras
½ taza de vino blanco

Preparación

1. Precalentar el horno a 180 °C. Con un cuchillo filoso rebanar la parte superior de los tomates y sacar la mayor cantidad de la pulpa posible sin dañar el exterior. Picar finamente la pulpa del tomate.
2. En una cacerola calentar el aceite, añadir la cebolla y el poro, saltear hasta que estén ligeramente dorados. Agregar el arroz, la pulpa del tomate, los piñones, las pasas, el perejil, la menta, sal y pimienta, saltear hasta que la mezcla esté caliente.
3. Rellenar los tomates con la mezcla del arroz, colocar de nuevo la parte superior de los tomates. Combinar el ajo, el caldo y el vino blanco, verter alrededor de los tomates. Hornear durante 15 minutos, pasar a un recipiente y servir. **Rinde 8**

ENSALADA THAI CON ARROZ Y JENGIBRE

ENSALADA MEDITERRÁNEA CALIENTE DE PASTA DE CONCHITAS

Ingredientes

175g de pasta de conchitas
150g de ejotes planos, en mitades
4 cebollas de cambray, rebanadas
1 pimiento verde, sin semillas, picado
125g de tomates cherry, en mitades
1 aguacate grande, picado
Pimienta negra
¼ taza de albahaca, picada

Aderezo

3 cucharadas de aceite de oliva
1 cucharada de vinagre de vino blanco
1 cucharada de miel
1 cucharadita de mostaza de Dijon

Preparación

1 Para hacer el aderezo, en una jarra con tapa de rosca colocar el aceite, el vinagre, la miel y la mostaza, agitar bien para incorporar.

2 En una cacerola hervir agua con sal, agregar la pasta y cocer durante 6 minutos. Cuando esté casi cocida, añadir los ejotes, cocer hasta que la pasta esté suave y con el centro firme y los ejotes estén suaves. Colar bien.

3 En un tazón grande colocar la pasta y los ejotes junto con la cebolla de cambray, el pimiento verde, los tomates cherry, el aguacate y sazonar con pimienta. Verter el aderezo y revolver bien. Decorar con albahaca. **Porciones 4**

ENSALADA GRIEGA DE ORZO CON ACEITUNAS Y PIMIENTOS

Ingredientes

350g de orzo o pasta con forma de arroz
1 cucharada de aceite de oliva
170g de queso fetta, desmenuzado
1 pimiento rojo, finamente picado
1 pimiento amarillo, finamente picado
1 pimiento verde, finamente picado
180g de aceitunas Kalamata, picadas
4 cebollas de cambray, rebanadas
2 cucharadas de alcaparras
3 cucharadas de piñones

Aderezo

Jugo y ralladura de 2 limones amarillos
1 cucharada de vinagre de vino blanco
4 dientes de ajo, finamente picados
4 ramitas de orégano, hojas separadas y picadas
1 cucharadita de mostaza de Dijon
1 cucharadita de comino molido
⅓ taza de aceite de oliva
Sal y pimienta fresca recién molida

Preparación

1 En una cacerola grande hervir agua con sal, agregar la pasta y cocer durante 8 minutos o hasta que esté suave y el centro firme (al dente). Colar y enjuagar con agua fría, colocarla en un tazón grande junto con el aceite de oliva.

2 Añadir el queso fetta, los pimientos, las aceitunas, las cebollas de cambray y las alcaparras.

3 Para hacer el aderezo, en un recipiente pequeño batir el jugo y la ralladura de limón, el vinagre, el ajo, el orégano, la mostaza y el comino. Agregar gradualmente el aceite de oliva, sazonar al gusto con sal y pimienta.

4 Bañar la ensalada con el aderezo y revolver bien, decorar con los piñones tostados y servir. **Porciones 4**

ENSALADA DE PAELLA

Ingredientes

3 tazas de caldo de pollo

350g de langostinos

1 cola de langosta, cruda

350g de mejillones en su concha, limpios

2 cucharadas de aceite de oliva

1 cebolla, picada

1 chuleta de jamón, cortada en cubos de 1cm

1½ tazas de arroz Arborio o de grano corto

½ cucharadita de cúrcuma molida

100g de chícharos

1 pimiento rojo, en cubos

Aderezo

½ taza de aceite de oliva

¼ taza de vinagre de vino blanco

3 cucharadas de mayonesa

2 dientes de ajo, machacados

¼ taza de perejil, picado

Pimienta negra recién molida

Preparación

1 En una cacerola grande colocar el caldo de pollo y dejar que suelte el hervor. Agregar los camarones y cocer de 1 a 2 minutos o hasta que cambien de color. Retirar y reservar. Añadir la cola de langosta y cocer durante 5 minutos o hasta que cambie de color y esté cocida. Retirar y reservar. Agregar los mejillones y cocer hasta que las conchas se abran —desechar las que no se abran después de 5 minutos de cocción—. Retirar y reservar. Colar el caldo y reservar. Pelar los camarones y quitarles la vena, dejar las colas intactas. Refrigerar los mariscos hasta servir.

2 En una cacerola grande calentar el aceite, añadir la cebolla y saltear de 3 a 4 minutos o hasta que esté suave. Agregar el jamón, el arroz y la cúrcuma, cocer revolviendo durante 2 minutos. Agregar el caldo reservado y dejar que suelte el hervor. Reducir el fuego, tapar y cocer a fuego lento durante 15 minutos o hasta que el líquido se absorba y el arroz esté cocido y seco. Agregar los chícharos y el pimiento, reservar para enfriar. Tapar y refrigerar durante 2 horas mínimo.

3 Para hacer el aderezo, en un procesador de alimentos o en la licuadora colocar el aceite, el vinagre, la mayonesa, el ajo, el perejil y sazonar con pimienta negra, procesar para mezclar. Para servir colocar los mariscos y el arroz en un tazón grande para ensaladas, verter el aderezo encima y revolver para mezclar. **Porciones 4**

ENSALADA DE AGUACATE, SALMÓN Y FARFALLE

Ingredientes

400g de farfalle

1 aguacate grande, picado

Ralladura de 1 naranja

2 cucharadas de jugo de naranja fresco

Pimienta negra recién molida

4 ramitas de eneldo

4 rebanadas de salmón ahumado

1 naranja, pelada, cortada en gajos

Preparación

1 En una cacerola hervir agua con sal, añadir la pasta y cocer durante 8 minutos o hasta que esté suave y el centro firme (al dente). Colar, enjuagar bajo el chorro de agua fría, colar de nuevo y reservar para que se enfríe por completo.

2 En un procesador de alimentos o en la licuadora procesar el aguacate, la ralladura de naranja, el jugo de naranja y la pimienta negra hasta que estén suaves.

3 En un tazón colocar la pasta, colocar la mezcla del aguacate encima y revolver bien. Enrollar una ramita de eneldo en cada rebanada de salmón. Repartir la ensalada en cuatro platos para servir y colocar encima el salmón y los gajos de naranja. **Porciones 4**

ENSALADA DE ATÚN FRESCO

Ingredientes

500g de tortiglioni

2 cucharaditas de aceite de oliva

350g de filetes de atún fresco

1 pimiento rojo, finamente rebanado

100g de ejotes, finamente rebanados, blanqueados

1 cebolla morada mediana, finamente rebanada

Aderezo

¼ taza de aceite de oliva

⅓ taza de mostaza de Dijon

½ taza de vinagre de vino de arroz

Ralladura de 3 limones

¼ taza de perejil, picado

2 cucharadas de salsa de soya

3 dientes de ajo, machacados

1 ramita de eneldo, picado

Preparación

1 En una cacerola hervir agua con sal, añadir la pasta y cocer durante 8 minutos o hasta que esté suave y el centro firme (al dente). Colar y enjuagar en agua fría, colar de nuevo.

2 En una sartén grande de base gruesa calentar el aceite, añadir el atún y saltear por ambos lados. Dejar enfriar, desmenuzar en trocitos pequeños.

3 Mezclar bien todos los ingredientes para el aderezo. Revolver la pasta con el atún, el pimiento, los ejotes, la cebolla y el aderezo. Si es posible refrigerar la ensalada durante toda la noche para que se mezclen los sabores. Servir fría. **Porciones 4**

ENSALADA DE ATÚN CON ADEREZO DE TOMATES

Ingredientes

250g de fusilli
4 cebollas de cambray
1 pimiento amarillo, picado
125g de ejotes, picados
250g de granos de elote
185g de atún de lata, colado, desmenuzado

Aderezo

⅓ taza de puré de tomate
1 cucharada de aceite de oliva extra virgen
2 cucharaditas de vinagre balsámico
1 pizca de azúcar extrafino
¼ taza de albahaca fresca, picada
Pimienta negra

Preparación

1 En una cacerola grande hervir agua con sal, añadir la pasta y cocer de 10 a 12 minutos o hasta que esté suave y el centro firme (al dente). Colar, enjuagar bajo el chorro de agua fría, colar bien. Colocar en un platón para servir.

2 Para hacer el aderezo, batir el puré de tomate, el aceite de oliva, el vinagre, el azúcar, la albahaca y la pimienta negra, mezclar bien. Verter el aderezo sobre la ensalada, revolver para cubrir bien.

3 Rebanar 3½ cebollas de cambray, cortar el resto en tiras delgadas. Añadir las cebollas rebanadas, el pimiento, los ejotes, los granos de elote y el atún a la pasta, revolver bien. Decorar con las cebollas de cambray en tiras. **Porciones 4**

CONCHIGLIE CON LANGOSTINOS Y FRUTA

Ingredientes

500g de conchiglie o conchas
450g de trozos de piña de lata
300g de langostinos medianos, cocidos, pelados
400g de garbanzos de lata, colados
2 mangos o duraznos grandes maduros, pelados y en cubos
1 manojo de cebollín, rebanado
¼ taza de cilantro, picado
2 cucharadas de jugo de limón verde
Sal y pimienta negra recién molida

Preparación

1 En una cacerola hervir agua con sal, añadir la pasta y cocer durante 8 minutos o hasta que esté suave y el centro firme (al dente).

2 Mientras la pasta se cuece, colar la piña y reservar 2 cucharadas del jugo. En un tazón grande combinar la piña con el jugo reservado y el resto de los ingredientes.

3 Colar la pasta y enjuagar en agua fría, colar de nuevo. Revolver la pasta con los demás ingredientes, sazonar con sal y pimienta, servir de inmediato. **Porciones 4**

Si no va a servir de inmediato, no agregue la piña, mangos o chabacanos. Mezcle la fruta en la pasta antes de servir.

ENSALADA DE ARROZ

Ingredientes

¾ taza de chícharos
¾ taza de granos de elote
4 tazas de arroz jazmín cocido
20g de mantequilla
1 cebolla grande, picada
4 dientes de ajo, machacados
8 langostinos grandes, cocidos, pelados
2 cucharadas de aceite de oliva
Jugo de 1 limón amarillo
3 huevos
½ manojo pequeño de cebollín, picado
⅛ cucharadita de curry en polvo
⅛ cucharadita de sazonador para carne
2 rebanadas de jamón magro, picado

Preparación

1 Cocer al vapor los chícharos y los granos de elote, mezclar con el arroz jazmín.

2 En una sartén de base gruesa derretir la mantequilla, saltear la cebolla y el ajo hasta que estén suaves. Agregar los langostinos para calentarlos bien, añadir la mezcla al arroz junto con el aceite de oliva y el jugo de limón.

3 Batir los huevos con el cebollín, añadir a la sartén. Saltear, cortar en cubos y añadir al arroz con el curry en polvo y el sazonador. Revolver bien, agregar el jamón, espolvorear con cebollín extra. **Porciones 4**

ENSALADA DE CABELLO DE ÁNGEL CON CHAMPIÑONES Y NUECES

Ingredientes

500g de pasta cabello de ángel
½ taza de aceite de oliva
6 chalotes (parecido al ajo, pero con dientes más grandes), picados
200g de champiñones ostra
400g de prosciutto, rebanado
2 cucharadas de granos de pimienta rosa o verde
2 cucharadas de vinagre de estragón
⅓ taza de aceite de nuez
3 ramitas de estragón fresco, hojas separadas, sin tallos
Sal y pimienta negra recién molida
75g de nueces, picadas
½ taza de piñones, tostados

Preparación

1 En una cacerola hervir agua con sal, añadir la pasta y cocer durante 8 minutos o hasta que esté suave y el centro firme (al dente). Colar y enjuagar con agua fría. Verter un poco de aceite para evitar que la pasta se pegue.

2 En una sartén calentar el resto del aceite, saltear los chalotes, los champiñones y el prosciutto de 3 a 4 minutos. Agregar los granos de elote y apagar el fuego.

3 Mezclar el vinagre, el aceite de nuez, el estragón, sal y pimienta, y las nueces con la pasta fría, revolver bien. Agregar la mezcla del prosciutto, revolver bien y decorar con los piñones asados. **Porciones 4**

cocina selecta

mariscos

KEDGEREE CON TRUCHA

Ingredientes

4 filetes de trucha, de 250g cada uno
1l de caldo de pescado
½ taza de agua
1 cucharada de aceite de girasol
1 cebolla, picada
3 tallos de apio, picados
Ralladura de 1 limón amarillo
1 taza de arroz blanco
50g de chícharos
3 huevos medianos, cocidos
25g de mantequilla
2 cucharadas de crème fraîche o crema fresca
Sal de mar y pimienta negra recién molida
½ taza de perejil, finamente picado
1 limón amarillo, cortado en gajos

Preparación

1 En una cacerola colocar el pescado, verter el caldo y el agua. Dejar que suelte el hervor, tapada, durante 5 minutos. Retirar del fuego y dejar reposar durante 5 minutos. Retirar el pescado, reservar el pescado y el caldo.

2 En una cacerola grande calentar el aceite y saltear la cebolla, el apio y la ralladura de limón a fuego medio hasta que estén suaves. Agregar el arroz y revolver bien. Agregar 2½ tazas del caldo a la mezcla del arroz, tapar y hervir a fuego lento durante 12 minutos. Agregar los chícharos, cocer durante 3 minutos más, hasta que el arroz esté suave.

3 Mientras, quitar la piel de las truchas y desmenuzar la carne, quitar el cascarón de los huevos y cortarlos en cuartos. Incorporar el arroz, la mantequilla, la crème fraîche a la cacerola y sazonar hasta que la mezcla esté bien combinada y caliente. Espolvorear con el perejil y servir con los gajos de limón. **Porciones 4**

KEDGEREE DE ARENQUE

Ingredientes

1¼ tazas de arroz basmati o de grano largo
4 huevos grandes
4 filetes grandes de arenque ahumado
75g de mantequilla
1 cebolla, finamente picada
1 taza de perejil, picado
3 cucharadas de jugo de limón
Sal y pimienta negra

Preparación

1 En una cacerola combinar el arroz con 1¾ tazas de agua. Dejar que suelte el hervor, reducir a fuego lento, tapar y cocer durante 15 minutos. Retirar la cacerola del fuego, dejar reposar, tapada, durante 10 minutos y dejar enfriar.

2 En una cacerola con agua fría colocar los huevos. Dejar que suelte el hervor y cocer durante 10 minutos. Pelar bajo el chorro de agua fría, picar grueso.

3 Mientras, en un platón colocar los arenques, cubrir con agua hirviendo, dejar reposar durante 5 minutos. Colar, retirar la piel, desmenuzar y retirar las espinas.

4 En una sartén de teflón derretir la mitad de la mantequilla, añadir la cebolla y saltear durante 4 minutos o hasta que esté suave. Agregar el arroz y mezclar bien, añadir los huevos, los arenques, el perejil, el jugo de limón, sal, pimienta negra y el resto de la mantequilla. **Porciones 4**

KEDGEREE CON TRUCHA

RISOTTO DE MARISCOS CON BRÓCOLI

Ingredientes

1 cucharada de aceite de girasol
6 chalotes (parecido al ajo, con dientes más grandes), picados
1 diente de ajo, finamente picado
1 pimiento rojo o amarillo, picado

1 taza de arroz integral de grano largo
2 tazas de caldo de verduras
225g de champiñones, rebanados
1 taza de vino blanco seco

500g de pescados y mariscos mixtos
225g de brócoli, en racimos pequeños
½ taza de perejil, picado
Pimienta negra recién molida

Preparación

1 En una cacerola grande calentar el aceite, añadir los chalotes, el ajo y el pimiento, saltear durante 5 minutos o hasta que estén suaves, revolver ocasionalmente. Agregar el arroz y freír durante 1 minuto, revolviendo, hasta que esté bien cubierto de aceite.

2 En otra cacerola colocar el caldo y dejar que suelte el hervor. Añadir los champiñones, el vino y ⅓ del caldo caliente a la mezcla del arroz. Cocer revolviendo constantemente hasta que el líquido se absorba. Repetir con otro tercio del caldo.

3 Agregar el pescado, los mariscos y casi todo el caldo restante, revolver constantemente durante 5 minutos o hasta que el arroz esté cocido y el centro firme. Agregar el resto del caldo si es necesario, asegurarse de que los mariscos y el pescado estén bien cocidos.

4 En agua hirviendo cocer el brócoli durante 3 minutos o hasta que esté suave. Colar bien, incorporar al risotto junto con el perejil y sazonar con pimienta negra. **Porciones 4**

ARROZ FRITO CON NUECES DE LA INDIA Y LANGOSTINOS

Ingredientes

1¾ taza de arroz de grano largo
2 cucharadas de aceite de cacahuate
1 diente de ajo, finamente machacado
1cm de jengibre, finamente picado
2 cebollas de cambray, rebanadas en diagonal, los tallos separados
50g de nueces de la India saladas y tostadas, picadas

75g de elotitos baby, en trozos de 1cm
200g de langostinos, cocidos, pelados
2 cucharadas de jerez medio-seco
3 cucharadas de salsa de soya ligera
2 cucharaditas de aceite de ajonjolí
1 huevo grande, batido
Pimienta negra

Preparación

1 En una cacerola colocar el arroz y 2½ tazas de agua. Dejar que suelte el hervor, reducir a fuego lento, tapar y cocer durante 15 minutos. Retirar la cacerola del fuego, dejar reposar durante 10 minutos. Esparcir el arroz en un plato, dejar enfriar de 20 a 30 minutos, moverlo ocasionalmente con un tenedor.

2 En un wok o sartén grande calentar el aceite. Agregar el ajo, el jengibre y las partes blancas de la cebolla de cambray, freír revolviendo de 1 a 2 minutos. Añadir el arroz y freír revolviendo durante 2 minutos más.

3 Agregar las nueces de la India y los elotitos, freír revolviendo durante 2 minutos. Añadir los langostinos y el jerez, freír revolviendo durante 1 minuto. Verter la salsa de soya y el aceite de ajonjolí, cocer durante 2 minutos más, sin dejar de revolver.

4 Agregar el huevo y freír revolviendo de 2 a 3 minutos hasta que esté bien cocido. Sazonar con sal y pimienta, esparcir encima los tallos de las cebollas de cambray rebanados y servir. **Porciones 4**

CAMARONES MARIPOSA EN SALSA DE LIMÓN

Ingredientes

500g de langostinos grandes
2 tazas de arroz de grano medio
2 cucharadas de aceite de oliva
1 pimiento rojo, rebanado
1 pimiento verde, rebanado
1 cebolla pequeña, rebanada
1 zanahoria mediana, picada
Jugo de 1 limón amarillo
2 cebollas de cambray, finamente picadas

Marinada

2 cucharaditas de jerez
1 cucharadita de salsa de soya
1 clara de huevo
1cm de jengibre, rallado
1 cucharadita de maicena
Ralladura de 2 limones

Preparación

1 Pelar los langostinos, dejar las colas intactas. Con un cuchillo pequeño retirar la vena, enjuagar y secar con papel absorbente. Licuar los ingredientes de la marinada, añadir los langostinos y marinar durante 20 minutos.

2 En una cacerola mezclar el arroz con 3 tazas de agua. Dejar que suelte el hervor, reducir a fuego lento, tapar y cocer durante 15 minutos. Retirar la sartén del fuego, dejar reposar, tapada, durante 10 minutos.

3 Mientras, en una cacerola o wok calentar el aceite, añadir las verduras y freír revolviendo durante 5 minutos. Retirar de la cacerola, añadir los langostinos y freír, revolviendo ocasionalmente, hasta que comiencen a tomar color, de 3 a 4 minutos aproximadamente. Devolver los langostinos a la cacerola, añadir el jugo de limón. Servir los langostinos y las verduras sobre el arroz, decorar con las cebollas de cambray. **Porciones 4**

JAMBALAYA DE CAMARONES

Ingredientes

3 rebanadas de tocino, cortadas en tiras
1 cebolla grande, finamente picada
1 pimiento verde, picado
1 tallo de apio, picado
3 dientes de ajo, machacados
1 taza de arroz de grano largo
1¾ tazas de caldo de pollo, caliente
400g de tomates de lata, colados, machacados
2 cucharaditas de sazonador cajun
2 ramitas de tomillo, hojas separadas, desechar los tallos
500g de langostinos medianos, pelados, sin vena
150g de jamón ahumado, en cubos de 1cm
3 hojas de cebollín, finamente picadas

Preparación

1 En una sartén a fuego medio freír el tocino durante 5 minutos o hasta que esté crujiente, escurrir sobre papel absorbente.

2 Agregar la cebolla a la sartén, freír, revolviendo, durante 5 minutos o hasta que esté suave sin que llegue a dorarse. Añadir el pimiento, el apio y el ajo, freír durante 3 minutos. Agregar el arroz y freír, revolviendo frecuentemente, durante 5 minutos o hasta que el arroz esté transparente.

3 Verter el caldo caliente, añadir los tomates, el sazonador cajun y el tomillo a la mezcla del arroz y dejar que suelte el hervor. Tapar, reducir a fuego lento y cocer durante 15 minutos. Agregar los langostinos y el jamón, tapar y cocer durante 10 minutos más o hasta que el arroz esté suave y el líquido se haya absorbido. Decorar con el cebollín y servir de inmediato. **Porciones 4**

ARROZ ESTILO ESPAÑOL CON CAMARONES Y LANGOSTINOS

Ingredientes

¼ taza de aceite de oliva
1 cebolla mediana, finamente picada
2 calamares frescos, limpios, finamente picados
1 tomate bola maduro grande, sin piel, picado
1½ tazas de arroz de grano medio
1 pizca de hebras de azafrán
Sal y pimienta negra recién molida
8-16 camarones, en mitades
500g de langostinos, pelados, sin vena, colas intactas

Preparación

1 En una sartén profunda de base gruesa calentar el aceite y freír ligeramente la cebolla y los calamares durante 5 minutos aproximadamente. Añadir el tomate y freír durante 5 minutos más.

2 Añadir el arroz y mezclar bien. Hervir 3 tazas de agua con el azafrán, sal y pimienta, verter sobre el arroz.

3 Agregar los camarones y los langostinos, hervir a fuego lento hasta que el arroz esté cocido. No revolver el arroz durante la cocción para que los mariscos permanezcan. **Porciones 4**

RISOTTO DE POROS Y LANGOSTINOS

Ingredientes

20g de mantequilla

4 poros, rebanados, lavados

500g de langostinos medianos, pelados, sin vena

2½ tazas de arroz Arborio o grano corto

1l de caldo de pescado, caliente

1 taza de vino blanco seco

1 cucharada de granos de pimienta verde de lata, colados

Preparación

1 En una cacerola derretir la mantequilla a fuego lento, añadir los poros y saltear, revolviendo ocasionalmente, hasta que estén suaves, dorados y caramelizados. Agregar los langostinos y saltear, revolviendo, durante 3 minutos o hasta que cambien de color. Retirar la mezcla de los langostinos de la cacerola, reservar.

2 Añadir el arroz a la cacerola y cocer a fuego medio durante 4 minutos, revolviendo. Incorporar ⅔ de taza del caldo caliente y ¼ de taza del vino blanco, cocer a fuego medio, revolviendo constantemente, hasta que el líquido se absorba. Continuar añadiendo el caldo y el vino de la misma manera hasta que el arroz esté suave.

3 Regresar la mezcla de los langostinos a la cacerola y añadir los granos de pimienta. Mezclar ligeramente y cocer durante 3 minutos más o hasta que estén bien calientes. **Porciones 4**

RISOTTO THAI CON ATÚN

Ingredientes

2 cucharadas de aceite de cacahuate

½ manojo de cebollas de cambray, picadas

250g de champiñones, rebanados

½ taza de cilantro, picado

2 cucharadas de salsa de pescado

2 cucharadas de jugo de limón verde

2 tazas de arroz Arborio o grano corto

½ taza de vino blanco

1l de caldo de pescado, caliente

400g de atún de lata

200g de champiñones ostra

1 manojo de espinacas baby

1 taza de aceite de oliva

50g de noodles de arroz

16 hojas de albahaca grandes

Preparación

1 Calentar el aceite de cacahuate y saltear brevemente las cebollas de cambray. Añadir los champiñones y saltear. Agregar el cilantro, la salsa de pescado y el jugo de limón, cocer durante 2 minutos más hasta que casi todo el líquido se haya evaporado.

2 Agregar el arroz y revolver para cubrirlo, agregar el vino blanco y dejar que se absorba sin dejar de revolver. Añadir 1 taza del caldo y cocer, revolviendo constantemente hasta que el líquido se absorba. Repetir con otra taza del caldo, agregar el atún y los champiñones, revolver bien. Continuar añadiendo el caldo de la misma manera. Al añadir la última taza del caldo agregar las espinacas y revolver bien. Retirar la cacerola del fuego.

3 En una cacerola calentar el aceite de oliva. Romper los noodles con la mano y colocarlos en el aceite. Freír hasta que se doren, aproximadamente 30 segundos —freír en tandas—. Escurrir sobre papel absorbente. Freír la albahaca hasta que esté crujiente. Servir el risotto en platos individuales, decorar con los noodles fritos, la albahaca frita y cilantro extra. **Porciones 4**

RISOTTO NIÇOISE

Ingredientes

500g de filetes de atún frescos
1 cucharadita de aceite de oliva
4 dientes de ajo, finamente picados
1 cebolla, picada
2 tazas de arroz Arborio o de grano corto
½ taza de vino blanco
2 papas rojas, peladas, en cubos
3½ l de caldo de pescado, caliente, 2 cucharadas extra
200g de ejotes
40g de queso parmesano, rallado
½ taza de perejil, finamente picado
½ taza de aceitunas Kalamata, sin hueso

Preparación

1. Calentar ½ taza del caldo de pescado y añadir los filetes de atún. Cocer a fuego lento durante 5 minutos, retirar el atún del caldo y cortar en cubos. Reservar el líquido de cocción.
2. Calentar el aceite de oliva y saltear el ajo y la cebolla. Agregar el arroz y revolver para cubrir. Añadir el vino y dejar que el líquido se absorba. Añadir las papas y revolver.
3. Verter 1 taza del caldo y cocer, revolviendo constantemente, hasta que el líquido se absorba. Añadir los ejotes y continuar añadiendo el caldo de la misma manera hasta terminarlo. Agregar el líquido de cocción del atún y revolver bien hasta que se absorba. Retirar la cacerola del fuego, añadir el caldo extra y el queso parmesano. Revolver bien para mezclar, decorar con el perejil y las aceitunas. Servir de inmediato.
   Porciones 4

RISOTTO CON TOMATE Y ATÚN

Ingredientes

2 cucharadas de aceite de oliva
2 ramitas de romero, hojas separadas, sin tallos
¼ cucharadita de hojuelas de chile
2 cebollas, finamente rebanadas
4 dientes de ajo, machacados
2 tazas de arroz Arborio o de grano corto
⅔ taza de vino blanco
3½ tazas de caldo de verduras, caliente
425g de atún de lata, colado, desmenuzado
4 tomates deshidratados, picados
400g de tomates enteros de lata
½ taza de perejil, picado
⅓ taza de crema agria
2 jitomates Saladet, finamente picados
4 hojas de cebollín, finamente picadas

Preparación

1 En una sartén calentar el aceite, añadir el romero, el chile, la cebolla y el ajo. Saltear a fuego alto hasta que las verduras estén suaves y el chile y el romero suelten el aroma.

2 Agregar el arroz y revolver para cubrir. Verter el vino y hervir a fuego alto hasta que todo el líquido se absorba. Agregar 1 taza de caldo, el atún, los tomates deshidratados, los tomates de lata y el perejil, cocer revolviendo constantemente, hasta que todo el líquido se haya absorbido. Continuar añadiendo el resto del caldo de la misma manera, cuidando que cada taza se absorba antes de añadir la siguiente.

3 Cuando todo el caldo se haya absorbido, retirar la sartén del fuego y añadir la mitad de la crema agria. Decorar con una cucharadita del resto de la crema agria, los tomates frescos y el cebollín. **Porciones 4**

RISOTTO DE MEJILLONES

Ingredientes

2 cucharadas de aceite de oliva
1 cebolla, finamente picada
2 dientes de ajo, finamente picados
1 pimiento rojo, picado
1½ tazas de arroz Arborio o de grano corto
2½ tazas de vino blanco seco
1kg de mejillones, limpios
1 ramita de romero, hojas separadas, desechar los tallos
40g de queso parmesano, rallado

Preparación

1 En una cacerola a fuego medio colocar el aceite. Añadir la cebolla, el ajo, el pimiento y saltear durante 2 minutos.

2 Agregar el arroz y la mitad del vino, revolver constantemente, hasta que el líquido se haya absorbido. Añadir los mejillones y la mitad restante del vino.

3 Agregar las hierbas, tapar y cocer hasta que el arroz y los mejillones estén cocidos, revolviendo frecuentemente. Servir espolvoreado con queso parmesano. **Porciones 4**

RISOTTO CON TOMATE Y ATÚN

LANGOSTA PROVENZAL

Ingredientes

50g de mantequilla
1 diente de ajo grande, machacado
2 cebollas de cambray, picadas
400g de tomates enteros de lata
Sal y pimienta negra recién molida
1 pizca de hebras de azafrán
1 langosta grande, cocida
¼ taza de brandy
2 tazas de arroz de grano medio
½ manojo de cebollín, picado
4 ramitas de eneldo
1 limón amarillo, en gajos

Preparación

1 En una sartén derretir la mantequilla a fuego medio. Añadir el ajo, las cebollas de cambray, los tomates, sal y pimienta, y el azafrán. Saltear hasta que las cebollas estén transparentes.

2 Sacar la carne de la langosta, cortar en trozos grandes. Añadir la carne a la sartén, flamear con el brandy. Cocer ligeramente hasta que la langosta esté bien caliente.

3 En una cacerola combinar el arroz con 3 tazas de agua. Dejar que suelte el hervor, reducir a fuego lento, tapar y cocer durante 15 minutos. Retirar la cacerola del fuego, dejar reposar tapada durante 10 minutos. Colocar el arroz en platos para servir, espolvorear el cebollín y decorar con el eneldo.

4 Retirar la langosta de la cacerola, reservar el líquido de cocción. Colocar la langosta sobre el arroz y verter encima el líquido de cocción. Servir con los gajos de limón. **Porciones 4**

ARROZ CON AZAFRÁN Y MARISCOS

Ingredientes

1 pizca grande de hebras de azafrán
3 tazas de caldo de pescado
2 cucharadas de aceite de oliva
2 cebollas, picadas
1¼ tazas de arroz de grano largo, enjuagado
250g de langostinos, pelados, sin vena
250g de callos de hacha
12 mejillones o almejas baby, limpias
1 manojo pequeño de cilantro

Preparación

1 Hervir el caldo con el azafrán, mantener caliente. En una sartén grande de base gruesa calentar el aceite, saltear ligeramente las cebollas hasta que estén suaves y doradas. Añadir el arroz y freír, revolviendo hasta que esté bien cubierto por el aceite. Agregar el caldo caliente, revolver hasta que la mezcla suelte el hervor, reducir el fuego y hervir a fuego lento durante 10 minutos.

2 Añadir los langostinos y los callos de hacha, presionarlos ligeramente contra el arroz. Cocinar durante 5 minutos. Agregar los mejillones o almejas, deben abrirse con el calor. Cubrir el arroz parcialmente. Cuando el arroz esté suave (aproximadamente 5 minutos después) retirar del fuego y moverlo ligeramente con un tenedor. Espolvorear con el cilantro y servir. **Porciones 4**

ARROZ CON ALMEJAS Y AZAFRÁN

Ingredientes

½ taza de aceite de oliva
1 cebolla, finamente rebanada
4 dientes de ajo, finamente machacados
2 tazas de arroz Arborio o de grano corto
1½ tazas de vino blanco seco
1 pizca de hebras de azafrán
2 tazas de caldo de pollo, caliente
Sal y pimienta
¼ taza de hierbas mixtas frescas, picadas
500g de almejas pipi
500g de almejas

Preparación

1 En una sartén grande mezclar el aceite de oliva, la cebolla y el ajo, tapar y saltear durante 1 minuto a fuego medio. Añadir el arroz y revolver.

2 Agregar el vino blanco y el azafrán, cocer lentamente hasta que el arroz comience a secarse, aproximadamente 5 minutos.

3 Agregar el caldo de pollo, sazonar, las hierbas mixtas, las almejas y las almejas pipi, cocer hasta que todas las conchas se abran y el arroz esté cocido, aproximadamente 15 minutos. Revolver frecuentemente para evitar que el arroz se pegue a la sartén. Servir con ensalada y pan crujiente. **Porciones 4**

CACEROLA DE CANGREJO

Ingredientes

20g de mantequilla congelada, más 50g derretida
1 cebolla grande, picada
1 pimiento verde grande, picado
500g de carne de cangrejo
1 taza de mayonesa
4 huevos cocidos, picados
3 tazas de arroz de grano largo, cocido
3 rebanadas de pan fresco, en cubos
¼ taza de perejil, picado

Preparación

1 Precalentar el horno a 180 °C. En una sartén calentar la mantequilla congelada, añadir la cebolla y el pimiento, revolver a fuego moderado hasta que las cebollas estén suaves.

2 Incorporar el cangrejo, la mayonesa, los huevos y el arroz. Colocar la mezcla en un recipiente para horno.

3 Mezclar el pan, el perejil y la mantequilla derretida, espolvorear sobre la mezcla del cangrejo. Hornear de 20 a 25 minutos. **Porciones 4**

TAGLIATELLE CON JITOMATE Y MEJILLONES

Ingredientes

700g de jitomates Saladet, maduros
1 cucharada de aceite de oliva
1 cebolla, finamente picada
2 dientes de ajo, finamente picados
2 tallos de apio, finamente picados
1 pimiento rojo, finamente picado
125g de champiñones
4 tomates deshidratados, colados, enjuagados, finamente picados
½ taza de vino tinto
2 cucharadas de puré de tomate
Pimienta negra
350g de tagliatelle o tallarines
225g de mejillones cocidos, sin concha
¼ taza de albahaca, picada

Preparación

1 Cubrir los jitomates Saladet con agua hirviendo y dejar reposar durante 30 segundos. Colar, pelar, quitar las semillas y picarlos.

2 En una cacerola calentar el aceite. Añadir la cebolla, el ajo, el apio, el pimiento y los champiñones, saltear durante 5 minutos o hasta que estén suaves, revolviendo ocasionalmente. Incorporar los jitomates Saladet, los tomates deshidratados, el vino tinto, el puré de tomate y la pimienta negra. Dejar que suelte el hervor, tapar, reducir el fuego y hervir a fuego lento durante 20 minutos o hasta que las verduras estén suaves, revolver ocasionalmente.

3 Mientras, en una cacerola hervir agua con sal, añadir la pasta y cocer durante 8 minutos o hasta que esté suave y el centro firme (al dente). Colar, reservar y mantener caliente.

4 Incorporar los mejillones a la salsa de jitomate, aumentar ligeramente el fuego y cocer, sin tapar, durante 5 minutos o hasta que comience a hervir, revolver ocasionalmente. Agregar la pasta a la salsa junto con la albahaca y revolver bien. Decorar con hojas de albahaca extra y servir de inmediato. **Porciones 4**

ESPAGUETI DE MEJILLONES CON PIMIENTA

Ingredientes

½ taza de aceite de oliva extra virge
2kg de mejillones, limpios
350g de espagueti
⅓ taza de vino blanco seco
1 taza de perejil, picado
2 dientes de ajo, machacados
Pimienta molida

Preparación

1 En una sartén grande de base gruesa calentar 2 cucharadas del aceite, añadir los mejillones. Saltear, tapada, de 2 a 4 minutos o hasta que los mejillones se abran, agitar la sartén frecuentemente.

2 Desechar los mejillones que no se abran. Reservar 12 mejillones en su concha para decorar. Separar el resto de los mejillones de sus conchas y reservar, eliminar las conchas.

3 En una cacerola hervir agua con sal, añadir la pasta y cocer durante 8 minutos o hasta que esté suave y el centro firme (al dente). Colar.

4 Mientras, en una sartén de base gruesa colocar el resto del aceite, el vino, el perejil, el ajo y mucha pimienta, dejar que suelte el hervor. Cocinar durante 2 minutos para que se consuma el alcohol. Incorporar los mejillones y la pasta a la mezcla y revolver durante 30 segundos para calentar bien. Servir decorada con los mejillones reservados. **Porciones 4**

ESPAGUETI DE MEJILLONES EN SU CONCHA

Ingredientes

350g de espagueti
1kg de mejillones, limpios
3 cucharadas de aceite de oliva
2 chalotes (parecido al ajo, pero con dientes más grandes) finamente picados
4 dientes de ajo, picados
½ taza de vino blanco seco
Ralladura de ½ limón amarillo
1 cucharadita de hojuelas de chile
¼ taza de perejil, picado
Sal y pimienta negra recién molida

Preparación

1 En una cacerola hervir agua con sal, colocar la pasta y cocer durante 8 minutos o hasta que esté suave y el centro firme (al dente). Colar, reservar y mantener caliente.

2 En una sartén grande de base gruesa colocar los mejillones con un poco de agua. Cocer al vapor de 3 a 4 minutos a fuego alto, agitar la sartén regularmente, hasta que las conchas se hayan abierto. Desechar los mejillones que estén cerrados.

3 En una cacerola grande calentar 2 cucharadas del aceite, freír ligeramente los chalotes y el ajo durante 5 minutos o hasta que estén suaves. Añadir el vino y hervir rápidamente de 5 a 6 minutos, hasta que el líquido se reduzca a la mitad. Agregar los mejillones, la ralladura de limón y el chile, cocer de 2 a 3 minutos. Añadir la pasta a los mejillones, incorporar el perejil y la pimienta negra. Revolver un poco sobre el fuego, verter el resto del aceite y servir. **Porciones 4**

ESPAGUETI CON ALMEJAS

Ingredientes

500g de espagueti
2 cucharadas de aceite de oliva
1 cebolla, picada muy finamente
2 dientes de ajo, finamente machacados
500g de almejas, limpias
⅓ taza de vino blanco
Sal y pimienta
4 ramitas de orégano, hojas separadas, picadas
¼ taza de perejil, picado

Preparación

1. En una cacerola hervir agua con sal, añadir la pasta y cocer durante 8 minutos o hasta que esté suave y el centro firme (al dente). Colar, revolver con la mitad del aceite, reservar y mantener caliente.
2. En una cacerola grande calentar el resto del aceite a fuego alto. Añadir la cebolla y el ajo, saltear durante 1 minuto. Agregar las almejas, el vino blanco, sal y pimienta.
3. Cuando todas las almejas se hayan abierto, agregar el espagueti y el orégano, cocinar durante 4 minutos más. Servir decorado con perejil. Porciones 4

ESPAGUETI CON ALMEJAS BABY, CHILE Y AJO

Ingredientes

800g de almejas baby, limpias
400g de espagueti
⅓ taza de aceite de oliva
4 dientes de ajo, rebanados
4 chiles rojos, finamente picados
2 tomates bola grandes, finamente picados
⅓ taza de perejil, picado
Jugo de 2 limones amarillos
Sal y pimienta negra recién molida

Preparación

1 En una sartén grande colocar las almejas con un poco de agua y calentar hasta que se abran. Desechar las que permanezcan cerradas.

2 En una cacerola hervir agua con sal, añadir la pasta y cocer durante 8 minutos o hasta que esté suave y el centro firme (al dente). Colar, reservar y mantener caliente.

3 En una sartén calentar la mitad del aceite, añadir el ajo y saltear a fuego lento hasta que comience a cambiar de color. Agregar el chile y el tomate, saltear durante unos minutos más.

4 Agregar las almejas, el perejil, el jugo de limón, el resto del aceite, el espagueti y un poco del agua de cocción de las almejas, calentar durante 5 minutos. Sazonar con sal y pimienta negra. **Porciones 4**

ÑOQUIS DE CONCHITAS CON ELOTE, TOMATE Y CALLO DE HACHA

Ingredientes

500g de ñoqui de conchitas
1½ cucharadas de aceite de oliva
1 cebolla morada, rebanada
500g de callos de hacha
1 taza de granos de elote
2 dientes de ajo, machacados
4 tomates bola grandes, maduros, pelados, sin semillas, picados
8 ramitas de orégano, hojas separadas, finamente picadas
1 ramita de romero, hojas separadas, finamente picada
½ cucharadita de salsa Tabasco
2 cucharadas de vinagre de vino tinto
60g de queso fetta, desmenuzado
Sal y pimienta negra recién molida

Preparación

1 En una cacerola grande hervir agua con sal, añadir los ñoquis y cocer hasta que comiencen a flotar. Colar, reservar y mantener calientes.

2 En una sartén grande calentar 1 cucharada del aceite. Agregar la cebolla morada y saltear durante 2 minutos. Añadir los callos de hacha, los elotes y el ajo. Saltear durante 4 minutos, revolviendo ocasionalmente.

3 Añadir los tomates, el orégano, el romero y la salsa Tabasco. Cocinar a fuego lento hasta que los callos estén cocidos y la mezcla esté bien caliente (aproximadamente 5 minutos). Incorporar el vinagre de vino tinto y el jugo de limón.

4 Bañar los ñoquis con el resto del aceite y revolver bien. Servir la mezcla del tomate sobre la pasta. Espolvorear con el queso fetta, sal y pimienta, servir de inmediato. **Porciones 4**

ESPAGUETI CON ALMEJAS BABY, CHILE Y AJO

ESPAGUETI CON ANCHOAS Y ACEITUNAS

Ingredientes

500g de jitomates Saladet
½ taza de aceite de oliva extra virgen
400g de espagueti
1 chile rojo pequeño, sin semillas, finamente picado
100g de filetes de anchoas, colados
2 dientes de ajo, rebanados muy finamente
100g de aceitunas negras grandes, sin hueso, rebanadas
1 cucharada de alcaparras, coladas, secas
½ taza de perejil, picado

Preparación

1 En un tazón colocar los jitomates y cubrir con agua hirviendo. Dejar reposar durante 30 segundos, pelar, quitar las semillas y cortar en tiras finas. En una sartén grande de base gruesa calentar 1 cucharada del aceite y saltear los jitomates durante 5 minutos, revolviendo ocasionalmente, hasta que estén suaves. Retirar de la sartén y reservar, limpiar la sartén.

2 En una cacerola hervir agua con sal, añadir la pasta y cocer durante 8 minutos o hasta que esté suave y el centro firme (al dente). Colar, reservar y mantener caliente.

3 Mientras, en la sartén colocar el resto del aceite, los chiles, los filetes de anchoa y el ajo, saltear durante 1 minuto, machacando las anchoas con un tenedor hasta formar una pasta. Agregar los jitomates, las aceitunas y las alcaparras, cocinar de 2 a 3 minutos, revolviendo frecuentemente. Incorporar al espagueti, añadir el perejil y servir. **Porciones 4**

PENNE CON ATÚN, ACEITUNAS Y ALCACHOFAS

Ingredientes

500g de penne
½ taza de aceite de oliva
2 dientes de ajo, finamente picados
3 chiles rojos, sin semillas, finamente picados
1 taza de aceitunas negras, sin hueso
400g de corazones de alcachofa de lata
2 cucharadas de alcaparras, finamente picadas
425g de atún de lata, colado, desmenuzado

Preparación

1 En una cacerola hervir agua con sal, añadir la pasta y cocer durante 8 minutos o hasta que esté suave y el centro firme (al dente). Colar, reservar y mantener caliente.

2 En una sartén calentar 2 cucharadas del aceite, añadir el ajo y el chile, saltear de 2 a 3 minutos. Añadir la pasta cocida y el resto de los ingredientes, calentar bien. Servir de inmediato. **Porciones 4**

ESPAGUETI CON ATÚN

Ingredientes

⅓ taza de aceite de oliva extra virgen
1 cebolla pequeña, picada
2 dientes de ajo machacados
6 filetes de anchoa, colados
400g de tomates enteros de lata, picados
185g de atún de lata en aceite, colado, desmenuzado
Pimienta negra recién molida
350g de espagueti
½ taza de perejil, picado

Preparación

1 En una sartén grande de base gruesa calentar el aceite, freír ligeramente la cebolla de 5 a 7 minutos hasta que esté suave. Añadir el ajo y las anchoas, freír durante 2 minutos o hasta que las anchoas se hayan desintegrado.

2 Aumentar el fuego, añadir los tomates y calentar, sin tapar, durante 5 minutos. Agregar el atún y suficiente pimienta. Mezclar bien, reducir el fuego y cocinar a fuego lento de 20 a 25 minutos hasta que la salsa esté espesa.

3 Mientras, en una cacerola hervir agua con sal, agregar la pasta y cocer durante 8 minutos o hasta que esté suave y el centro firme (al dente). Transferir a un platón caliente para servir, verter la salsa encima y revolver bien. Espolvorear encima el perejil antes de servir. **Porciones 4**

CANGREJO EN SALSA CREMOSA DE TOMATE

Ingredientes

30g de mantequilla
200g de tomates cherry
3 cebollas de cambray, picadas
4 dientes de ajo, machacados
650g de carne de cangrejo
1 taza de perejil, picado
2 cucharadas de jugo de limón amarillo
2 cucharadas de pasta de tomate
¾ taza de crema espesa
Sal y pimienta
500g de tallarines

Preparación

1 En una sartén derretir la mantequilla. Añadir los tomates cherry, las cebollas de cambray y el ajo, saltear durante 3 minutos. Reducir a fuego lento, agregar la carne de cangrejo y el perejil, cocinar durante 2 minutos.

2 Añadir el jugo de limón, la pasta de tomate y la crema. Sazonar con sal y pimienta, calentar ligeramente.

3 Mientras, en una cacerola hervir agua con sal, agregar la pasta y cocer durante 8 minutos o hasta que esté suave y el centro firme (al dente). Combinar la mezcla del cangrejo con la pasta y servir. **Porciones 4**

TAGLIATELLE DE CANGREJO

Ingredientes

500g de tagliatelle o tallarines
¼ taza de aceite de oliva
2 dientes de ajo, machacados
1 chile rojo, sin semillas, picado
Ralladura de 1 limón amarillo
300g de carne de cangrejo
¾ taza de crema espesa
1 cucharada de jugo de limón amarillo
Sal y pimienta negra
¼ taza de perejil, picado

Preparación

1 En una cacerola hervir agua con sal, añadir la pasta y cocer durante 8 minutos o hasta que esté suave y el centro firme (al dente). Colar, reservar y mantener caliente.

2 Mientras, en una sartén grande de base gruesa calentar el aceite y freír el ajo, el chile y la ralladura de limón de 3 a 4 minutos, hasta que estén suaves sin que se lleguen a dorar. Agregar la carne de cangrejo, la crema y el jugo de limón, cocinar a fuego lento de 1 a 2 minutos para calentar bien. Sazonar al gusto.

3 Poner la pasta en platos para servir. Colocar encima la mezcla del cangrejo y espolvorear el perejil para decorar. **Porciones 4**

RAVIOLES DE LANGOSTINOS Y JENGIBRE

Ingredientes

600g de langostinos, pelados, sin vena
1 diente de ajo, machacado
4cm de jengibre, rallado
2 cebollas de cambray, finamente rebanadas
200g de láminas de pasta para wontón
¼ taza de cilantro

Aderezo

1 chile rojo pequeño, finamente rebanado
2 cucharaditas de salsa de pescado
2 cucharaditas de azúcar
2 cucharaditas de jugo de limón verde
1 cucharada de aceite de cacahuate

Preparación

1 Picar finamente los langostinos. En un tazón colocar los langostinos junto con el ajo, el jengibre y las cebollas de cambray, revolver.
2 Colocar una cucharada de la mezcla en el centro de una lámina de pasta para, barnizar ligeramente con agua las orillas y colocar otra lámina encima. Presionar las orillas para sellar. Repetir el proceso con el resto de la mezcla y las láminas de pasta para wontón.
3 En una cacerola con agua hirviendo cocer los ravioles durante 5 minutos, en tandas. Escurrir bien y pasar a platos para servir.
4 Para hacer el aderezo, en un recipiente colocar el chile, la salsa de pescado, el azúcar, el jugo de limón y el aceite de cacahuate, batir para incorporar. Verter el aderezo sobre los ravioles y servir con ramitas de cilantro fresco encima. **Porciones 4**

LANGOSTINOS CON TOMATES Y ACEITUNAS

Ingredientes

¼ taza de aceite de oliva
2 cebollas, finamente picadas
4 dientes de ajo, finamente machacados
2 tallos de apio, finamente picados
50g de filetes de anchoas, colados, picados grueso
600g de jitomates Saladet
1¼ tazas de vino blanco seco
600g de langostinos grandes, pelados, sin vena
125g de aceitunas negras, sin hueso, cortadas en mitades
Ralladura y jugo de 1 limón amarillo
1 manojo pequeño de eneldo

Preparación

1 En un wok o sartén grande de base gruesa calentar el aceite, saltear la cebolla, el ajo y el apio durante 5 minutos o hasta que estén suaves. Agregar las anchoas y freír revolviendo de 1 a 2 minutos o hasta que se desintegren.

2 En un recipiente colocar los jitomates y cubrir con agua hirviendo. Dejar reposar durante 30 segundos, pelar, quitar las semillas, picar. Incorporarlos a la mezcla de la cebolla y las anchoas, freír revolviendo de 5 a 6 minutos más, hasta que los jiomates estén suaves.

3 Verter el vino a la sartén y dejar que suelte el hervor, reducir a fuego lento y hervir, sin tapar, durante 10 minutos o hasta que la salsa se reduzca ligeramente.

4 Agregar los langostinos y las aceitunas a la sartén, hervir a fuego lento de 3 a 4 minutos, hasta que los langostinos tomen color rosa y estén suaves. Añadir la ralladura y el jugo de limón, incorporar el eneldo. Espolvorear eneldo extra para decorar. **Porciones 4**

BUCATINI PICANTE CON LANGOSTINOS Y CALLOS DE HACHA

Ingredientes

350g de bucatini o espagueti
250g de callos de hacha, limpios
30g de mantequilla
2 cucharaditas de aceite de oliva
500g de langostinos, pelados, sin vena, colas intactas
2 dientes de ajo, machacados
3 cebollas de cambray, rebanadas
1 chile rojo pequeño, finamente picado
½ taza de vino blanco seco
2 tomates bola grandes, sin semillas, finamente picados
Ralladura de ½ limón amarillo
Ralladura de ½ naranja
1 cucharadita de azúcar
½ manojo pequeño de cebollín, picado

Preparación

1 En una cacerola hervir agua con sal, agregar la pasta y cocer durante 8 minutos o hasta que esté suave y el centro firme (al dente). Colar, reservar y mantener caliente.

2 Secar los callos de hacha con papel absorbente. En una sartén grande calentar la mantequilla y el aceite, saltear los langostinos y los callos de hacha a fuego alto, en tandas, hasta que estén tiernos. Retirar de la sartén y mantener calientes.

3 Añadir el ajo, las cebollas de cambray y el chile, saltear a fuego medio hasta que la cebolla esté suave. Verter el vino y dejar que suelte el hervor, revolviendo para mezclar los sabores. Reducir a la mitad.

4 Agregar los tomates, el jugo de limón, la ralladura de naranja el azúcar y los cebollines, cocinar hasta que el tomate esté bien caliente.

5 Añadir los langostinos, los callos de hacha y la pasta, revolver para mezclar. Servir con pan crujiente.
Porciones 4

SPAGHETTINI Y CALLOS DE HACHA CON PAN MOLIDO

Ingredientes

12 callos de hacha, con coral
½ taza de aceite de oliva extra virgen
50g de pan blanco molido
½ taza de perejil, picado
2 dientes de ajo, finamente picado
1 cucharadita de hojuelas de chile
350g de spaghettini o espagueti
⅓ taza de vino blanco seco

Preparación

1 Separar los corales de los callos de hacha y reservar. Rebanar cada parte en 3 o 4 piezas.

2 En una sartén calentar 2 cucharadas del aceite, añadir el pan molido y freír, revolviendo, durante 3 minutos o hasta que esté dorado. Retirar de la sartén y reservar.

3 En la misma sartén calentar el resto del aceite, añadir la mitad del perejil, el ajo y el chile, saltear durante 2 minutos o hasta que liberen.

4 En una cacerola grande hervir agua con sal, añadir la pasta y cocer durante 8 minutos o hasta que la pasta esté suave y el centro firme (al dente). Colar, reservar y mantener caliente.

5 Añadir las partes blancas de los callos a la sartén y freír durante 30 segundos o hasta que comiencen a opacarse. Añadir el vino y los corales, cocer durante 30 segundos, añadir el espagueti y cocinar durante 1 minuto, revolver para mezclar. Espolvorear con el pan molido y el resto del perejil. **Porciones 4**

LASAÑA DE LANGOSTA

Ingredientes

8 láminas de lasaña precocida
2 cebollas, picadas
30g de mantequilla
200g de queso crema, suavizado
1 huevo, batido
¼ taza de albahaca, picada
300g de crema de champiñones de lata
½ taza de leche
½ taza de vino blanco
300g de carne de langosta
300g de callo de hacha, cortados a la mitad
80g de queso parmesano, rallado
250g de queso mozzarella, rallado

Preparación

1 Precalentar el horno a 180 °C. Engrasar un recipiente para horno de 23 x 33 cm, cubrir el fondo con 4 láminas de lasaña.

2 Saltear la cebolla en la mantequilla hasta que esté suave. Incorporar el queso crema, el huevo y la albahaca, mezclar bien. Esparcir la mitad de la mezcla de queso sobre las láminas de lasaña.

3 Revolver la crema de champiñones, la leche, el vino, la carne de langosta y los callos de hacha. Esparcir la mitad sobre la mezcla del queso. Repetir las capas con el resto de las láminas, la mezcla del queso y la mezcla de los mariscos. Espolvorear con queso parmesano.

4 Hornear durante 40 minutos o hasta que esté bien caliente. Espolvorear con el queso mozzarella y hornear de 2 a 3 minutos más o hasta que el queso se derrita. Retirar del horno y dejar reposar durante 15 minutos antes de servir. **Porciones 10 a 12**

SPAGHETTINI Y CALLOS DE HACHA CON PAN MOLIDO

LANGOSTA CANADIENSE

Ingredientes

60g de mantequilla
500g de carne de langosta, en cubos
250g de champiñones, rebanados
¼ cebolla, picada
3 cucharadas de harina
1 cucharadita de sal
375g de leche evaporada
½ taza de leche entera
50g de queso cheddar, rallado
¼ taza de perejil, picado
500g de pasta mafaldine o tallarines

Preparación

1 En una cacerola derretir la mantequilla, añadir la carne de langosta y saltear durante 5 minutos. Agregar los champiñones, y la cebolla, saltear durante 5 minutos más. Incorporar el harina, la sal, la leche evaporada y la leche entera. Cocinar revolviendo constantemente hasta que espese y esté suave. Añadir el queso cheddar y el perejil.

2 En una cacerola grande hervir agua con sal, añadir la pasta y cocer durante 8 minutos o hasta que esté suave y el centro firme (al dente). Incorporar la mezcla de la langosta y servir. **Porciones 4**

LANGOSTA CON LIMÓN Y SALSA DE ENELDO

Ingredientes

4 colas de langosta
80g de mantequilla
1 diente de ajo grande, machacado
½ taza de jerez
1 manojo de eneldo, picado
½ taza de caldo de pescado
1¼ tazas de crema espesa
1 cucharada de pasta de tomate
Sal y pimienta negra recién molida
Jugo de ½ limón amarillo
500g de espagueti

Preparación

1 Sacar la carne de la langosta y cortarla en trozos.

2 Derretir la mantequilla y saltear el ajo. Añadir rápidamente la carne de langosta y saltear brevemente. Reservar y mantener caliente.

3 Añadir el jerez y el eneldo a la sartén, dejar que se reduzca a la mitad. Agregar el caldo de pescado, dejar que se reduzca a la mitad de nuevo. Reducir a fuego medio y añadir la crema, la pasta de tomate, sal y pimienta, y hervir a fuego lento durante 5 minutos aproximadamente.

4 Colocar la carne de la langosta y el jugo de cocción a la sartén. Añadir el jugo de limón.

5 En una cacerola grande hervir agua con sal, añadir la pasta y cocer durante 8 minutos o hasta que esté suave y el centro firme (al dente). Colar. Servir la langosta sobre el espagueti y decorar con eneldo picado extra. **Porciones 4**

ITALIABAISSE

Ingredientes

1 taza de aceite de oliva
5 dientes de ajo, triturados
3 tazas de caldo de pescado o de verduras
400g de tomates enteros de lata
¼ taza de perejil, picado
¼ taza de estragón, picado
Sal y pimienta negra recién molida
2 tubos de calamar, limpios, cortados en aros
400g de filetes de pescado blanco
200g de langostinos, pelados, sin vena, colas intactas
200g de callos de hacha
12 mejillones
12 almejas pipi
300g de linguine o tallarines

Preparación

1 En una sartén grande de base gruesa calentar el aceite, freír los dientes de ajo hasta que estén dorados. Verter el caldo, añadir los tomates con su jugo, el perejil, el estragón, sal y pimienta.

2 Dejar que suelte el hervor y añadir los calamares. Cocinar durante 2 minutos, añadir el pescado. Tapar y cocer durante 5 minutos o hasta que el pescado y los calamares estén suaves. Retirar de la sartén y mantener caliente.

3 Añadir los langostinos a la sartén junto con los callos de hacha y los mariscos, agitar la sartén a fuego alto hasta que estén cocidos y los mejillones se abran. Retirar el ajo, sazonar si es necesario y devolver el pescado a la sartén. Calentar bien.

4 Mientras, en una cacerola hervir agua con sal, añadir la pasta y cocer durante 8 minutos o hasta que esté suave y el centro firme (al dente). Colar.

5 Colocar la pasta en un recipiente grande para servir y añadir la sopa de pescado, colocar el pescado y los mariscos encima. Decorar con perejil extra y acompañar con pan crujiente. **Porciones 4**

PASTA CON SALSA DE MARISCOS

Ingredientes

2 cucharadas de aceite
1 cebolla, finamente picada
2 dientes de ajo, machacados
800g de tomates de lata, picados
Sal y pimienta negra recién molida
1 cucharadita de azúcar
¼ taza de albahaca, picada
225g de langostinos, pelados, sin vena
225g de callos de hacha
1 taza de vino blanco
¼ taza de perejil, picado
500g de linguine o tallarines

Preparación

1 En una cacerola grande de base gruesa calentar el aceite, agregar la cebolla y saltear hasta que esté transparente y suave, añadir el ajo y saltear durante 1 minuto. Agregar los tomates, sal, pimienta, el azúcar y la albahaca. Cocinar a fuego lento, sin tapar, durante 20 minutos.

2 En otra cacerola colocar el vino y hervir a fuego lento los langostinos y los callos de hacha durante 4 minutos. Agregar a la mezcla del tomate junto con el perejil, hervir a fuego lento durante 5 minutos más.

3 En una cacerola grande hervir agua con sal, añadir la pasta y cocer durante 8 minutos o hasta que esté suave y el centro firme (al dente). Colar y servir la salsa encima. Servir de inmediato. **Porciones 4**

ESPAGUETI CON CALAMARES Y CILANTRO

Ingredientes

450g de calamares, limpios, cortados en aros
500g de vermicelli o capellini
2 cucharaditas de aceite de oliva
1 cebolla morada, finamente rebanada
1 diente de ajo, machacado
4 jitomates Saladet, sin semillas, picados
½ taza de aceitunas negras, sin semilla
¼ taza de caldo de pescado reducido en sales
¼ taza de vino blanco seco
1 taza de cilantro, picado
¼ taza de menta, picada
Pimienta negra recién molida

Preparación

1 En una cacerola grande hervir agua. Con una cuchara coladora o con un colador introducir los calamares para remojarlos en el agua. Cocer de 5 a 10 segundos o hasta que tomen un color blanco y estén firmes. Colar. Sumergir los calamares en agua fría con hielo, colar de nuevo, reservar.

2 En una cacerola grande hervir agua con sal, añadir la pasta y cocer durante 8 minutos o hasta que esté suave y el centro firme (al dente). Colar, reservar y mantener caliente.

3 Mientras, en una sartén de teflón a fuego medio colocar el aceite, la cebolla y el ajo. Saltear revolviendo de 3 a 4 minutos o hasta que la cebolla esté suave. Agregar los jitomates, las aceitunas, el caldo y el vino. Cocinar a fuego lento durante 5 minutos. Incorporar el cilantro, la menta, los calamares y la pimienta. Cocer de 1 a 2 minutos o hasta que esté bien caliente.

4 Incorporar la mezcla de los calamares a la pasta, revolver. Repartir la pasta entre los platos para servir. Acompañar con pan crujiente y ensalada verde. **Porciones 4**

ESPAGUETI MARINARA

Ingredientes

500g de espagueti
1 cucharada de aceite vegetal
20g de mantequilla
2 cebollas, picadas
800g de tomates de lata, sin colar, machacados
¼ taza de albahaca, picada
¼ taza de vino blanco seco
12 mejillones, limpios
12 callos de hacha
12 langostinos, pelados, sin vena
125g de calamares, limpios, cortados en aros

Preparación

1 En una cacerola hervir agua con sal, añadir la pasta y cocer durante 8 minutos o hasta que esté suave y el centro firme (al dente). Colar, reservar y mantener caliente.

2 En una sartén a fuego medio calentar el aceite y la mantequilla. Agregar las cebollas y saltear, revolviendo, durante 4 minutos o hasta que estén doradas. Añadir los tomates, la albahaca y el vino, cocinar a fuego lento durante 8 minutos. Agregar los mejillones, los callos de hacha y los langostinos, cocer durante 2 minutos más.

3 Añadir los calamares y cocer durante 1 minuto o hasta que los mariscos estén bien cocidos. Servir la salsa sobre la pasta caliente y servir de inmediato. **Porciones 4**

SALMÓN AHUMADO CON ESPÁRRAGOS, LIMÓN Y TALLARINES

Ingredientes

500g de tallarines
2 cucharadas de aceite de oliva extra virgen
1 pizca de hebras de azafrán
2 dientes de ajo, machacados
Ralladura de ½ limón amarillo
⅓ taza de jugo de limón amarillo
1 cucharada de azúcar
1 taza de caldo de pollo reducido en sales
300g de espárragos, en trozos de 4cm
4 cebollas de cambray, rebanadas
100g de tomates, deshidratados
300g de rebanadas de salmón ahumado
50g de hojas de espinacas baby
50g de piñones, tostados
½ manojo pequeño de eneldo, picado
Pimienta negra machacada

Preparación

1 En una cacerola hervir agua con sal, añadir la pasta y cocer durante 8 minutos o hasta que esté suave y el centro firme (al dente). Colar, reservar y mantener caliente.

2 En un tazón colocar el aceite de oliva, el azafrán, la ralladura y el jugo de limón, el azúcar y el caldo, revolver bien. En una sartén grande de teflón calentar ligeramente la mezcla.

3 Agregar los espárragos y hervir a fuego lento hasta que tomen un color brillante y estén suaves. Añadir las cebollas de cambray, los tomates y la pasta, revolver para calentar bien. Retirar del fuego e incorporar el salmón ahumado, las espinacas, los piñones y el eneldo. Sazonar con pimienta negra y servir de inmediato. **Porciones 4**

RAVIOLES DE SALMÓN AHUMADO CON SALSA DE ENELDO Y LIMÓN

Ingredientes

125g de salmón ahumado, en trozos
1 clara de huevo
1½ cucharadas de crema
2 ramitas de eneldo, picadas
2-3 cucharadas de maicena
32 láminas de pasta para wontón
1 cucharadita de aceite

Salsa de eneldo y limón

20g de mantequilla
1 cucharada de harina
¾ taza de vino blanco
¾ taza de crema espesa
Jugo de ½ limón amarillo
½ manojo pequeño de eneldo, picado
Sal y pimienta negra recién molida

Preparación

1 En un procesador de alimentos colocar el salmón, 1 cucharada de la clara de huevo, la crema y el eneldo, procesar hasta que los ingredientes estén bien mezclados y tengan una consistencia líquida. Esparcir la maicena sobre una superficie de trabajo y acomodar las láminas de pasta para wontón en hileras de cuatro.

2 Con el resto de la clara de huevo barnizar las láminas alternadamente. En el centro de las láminas sin barnizar colocar una cucharadita de la mezcla, colocar encima la otra lámina y presionar las orillas para hacer los ravioles.

3 Llenar una cacerola grande con agua hasta la mitad, dejar que suelte el hervor, añadir ¼ de los ravioles, cocer de 2 a 3 minutos. Reservar y tapar con papel aluminio. Repetir con el resto de los ravioles.

4 Para hacer la salsa, en una sartén derretir la mantequilla, añadir la harina y cocer durante 1 minuto. Añadir el vino, revolver hasta que se suavice, incorporar la crema y el jugo de limón. Dejar que suelte el hervor y reducir hasta que la salsa tenga consistencia un poco espesa. Añadir el eneldo junto con la sal y la pimienta, verter sobre los ravioles y servir. **Porciones 4**

RIGATONI HORNEADO CON SALMÓN AHUMADO

Ingredientes

400g de rigatoni o tortiglioni
150g de queso gruyere, rallado
150g de queso cheddar, rallado
½ manojo pequeño de eneldo, picado
¾ taza de crème fraîche o crema fresca
½ cucharadita de pimienta de Cayena
25g de mantequilla
250g de rebanadas de salmón

Preparación

1 En una cacerola grande hervir agua con sal, añadir la pasta y cocer durante 8 minutos o hasta que esté suave y el centro firme (al dente). Colar y regresar a la cacerola. Reservar 1 cucharada del queso gruyere, 1 del queso cheddar y del eneldo, incorporar el resto a la pasta junto con la crème fraîche y la pimienta de cayena.

2 Precalentar el horno a 200 °C. Con la mitad de la mantequilla engrasar un recipiente para horno de 20 x 15 cm, añadir la mitad de la pasta. Acomodar las rebanadas de salmón encima de la pasta y cubrir con el resto de la pasta. Espolvorear el queso gruyere, el cheddar y el eneldo reservados, colocar encima el resto de la mantequilla. Tapar con papel aluminio y hornear durante 15 minutos. Quitar el papel y hornear durante 5 minutos más o hasta que la parte superior esté dorada y burbujee. **Porciones 4**

HORNEADO DE CANELONES CON PESCADO Y QUESO RICOTTA

Ingredientes

300g de filetes de bacalao o eglefino
60g de mantequilla
1 cebolla pequeña, picada
3 cucharadas de harina común
2 tazas de leche
½ manojo pequeño de cebollín, picado
Jugo de ½ limón amarillo
Sal y pimienta negra
1 manojo de espinacas, picadas, sin tallos gruesos
250g de queso ricotta
2 ramitas de perejil, picado
2 ramitas de albahaca, picada
250g de canelones precocidos
400g de tomates de lata, picados
2 cucharadas de pan blanco rallado, fresco
40g de queso cheddar, rallado

Preparación

1 Precalentar el horno a 180 °C. En una cacerola grande colocar el pescado, cubrir con agua fría y hervir a fuego lento durante 10 minutos o hasta que esté bien cocido. Desmenuzar, quitar la piel y las espinas.

2 En una cacerola calentar la mitad de la mantequilla, freír ligeramente la cebolla de 4 a 5 minutos hasta que esté dorada. Agregar la harina y cocinar, revolviendo, durante 1 minuto, retirar del fuego e incorporar lentamente la leche. Regresar al fuego, dejar que suelte el hervor, revolviendo. Añadir el cebollín, el jugo de limón y sazonar.

3 En una cacerola calentar el resto de la mantequilla, añadir las espinacas y saltear de 2 a 3 minutos hasta que se marchiten. Mezclar el pescado, el queso ricotta y las hierbas, incorporar las espinacas. Con los dedos rellenar los canelones con la mezcla de las espinacas. En un recipiente para horno de 25 x 25 cm esparcir los tomates. Colocar encima los canelones, después verter la salsa blanca y espolvorear el pan rallado y el queso cheddar. Hornear de 30 a 35 minutos hasta que esté dorado. **Porciones 4**

RIGATONI HORNEADO CON SALMÓN AHUMADO

PENNE Y HUACHINANGO EN SALSA DE TOMATE

Ingredientes

250g de jitomates Saladet maduros
½ taza de aceite de oliva extra virgen
1 diente de ajo, machacado
1 cucharadita de hojuelas de chile seco
350g de huachinango, sin piel, en trozos de 2.5cm
4 ramitas de orégano, hojas separadas, picadas
Sal y pimienta negra
¾ taza de vino blanco
350g de penne
¼ taza de perejil, picado

Preparación

1 En un tazón colocar los jitomates y cubrir con agua hirviendo. Dejar reposar durante 30 segundos, pelar, quitar las semillas y picar.

2 En una cacerola grande de base gruesa calentar la mitad del aceite, añadir el ajo y el chile, freír durante 1 minuto para que suelten los sabores. Añadir el pescado, el orégano y sazonar, verter el vino. Dejar que suelte el hervor, reducir el fuego y hervir a fuego lento, tapada, durante 5 minutos, volteando el pescado una vez. Añadir los jitomates, cocinar durante 5 minutos más, sin tapar, hasta que el pescado esté bien cocido y los jitomates estén suaves. Sazonar al gusto.

3 En una cacerola grande hervir agua con sal, añadir la pasta y cocer durante 8 minutos o hasta que esté suave y el centro firme (al dente). Colar. Poner en un platón caliente para servir, revolver con el resto del aceite y verter la salsa encima. Decorar con el perejil picado. **Porciones 4**

cocina selecta

carne y aves

RISOTTO CON TERNERA Y SALVIA

Ingredientes

- 1 taza de aceite de oliva
- 1 manojo de salvia, más ½ taza picada
- 350g de carne de ternera, en cubos
- 2 cucharadas de pasta de tomate
- ½ taza de perejil, finamente picado
- 1 poro mediano, lavado, rebanado
- 2 dientes de ajo, finamente picados
- 2 tazas de arroz Arborio o grano corto
- ¾ de vino tinto
- 1½ litros de caldo de ternera, caliente
- 40g de queso parmesano, rallado

Preparación

1. En una cacerola pequeña colocar ⅔ de taza del aceite hasta que esté caliente. Separar las hojas de la salvia y freír durante 1 minuto hasta que estén crujientes. Escurrir en papel absorbente y reservar.
2. En una sartén calentar la mitad del resto del aceite de oliva y añadir la carne de ternera. Freír hasta que la carne cambie de color, añadir la pasta de tomate, la salvia picada y la mitad del perejil. Cocinar durante 2 minutos o hasta que la carne esté bien cocida, dejar enfriar.
3. En otra sartén calentar el resto del aceite. Agregar el poro y el ajo, saltear hasta que estén suaves. Añadir el arroz, mover, agregar el vino y revolver hasta que se evapore.
4. Verter una taza del caldo caliente a la mezcla del arroz y cocer, revolviendo constantemente, hasta que se absorba el líquido. Continuar vertiendo el caldo por tazas hasta usar todo el caldo y que el arroz esté suave. Retirar del fuego, añadir el queso parmesano, el resto del perejil y la mezcla de la ternera, servir de inmediato sobre un poco de hojas de salvia crujientes. Decorar con el cebollín. **Porciones 4**

RISOTTO MALAYO CON CARNE DE RES

Ingredientes

- 2 cucharadas de aceite de cacahuate
- 6 chalotes (parecido al ajo, pero con dientes más grandes), finamente picados
- 4 dientes de ajo, finamente machacados
- 1 cucharadita de comino, molido
- 1 chile rojo fresco, finamente picado
- 500g de carne magra de res, en cubos
- 2 tazas de arroz Arborio o de grano corto
- ⅓ taza de vino de arroz
- ½ taza de crema de cacahuate con trozos
- 2 cucharadas de salsa de soya
- 1l de caldo de res, caliente
- 200g de col china, finamente rebanada
- 1 cucharada de jugo de limón verde
- ½ taza de cacahuates tostados, picados
- ½ taza de perejil, picado

Preparación

1. Calentar el aceite de cacahuate y añadir los chalotes, el ajo, el comino y el chile. Saltear durante 2 minutos para que suelten el sabor y el aroma. Añadir la carne de res y saltear hasta que cambie de color, aproximadamente 5 minutos.
2. Agregar el arroz y revolver para cubrir bien. Añadir el vino de arroz, revolver bien hasta que se absorba el líquido. Añadir la mantequilla de cacahuate, la salsa de soya y ½ taza del caldo, mover para mezclar los sabores. Cuando el líquido se haya absorbido verter ½ taza del caldo junto con la col china, revolver bien hasta que el líquido se absorba. Continuar añadiendo el caldo de la misma manera hasta que todo el líquido se haya absorbido.
3. Retirar la sartén del fuego y servir en tazones individuales, añadir el jugo de limón, los cacahuates picados y el perejil. **Porciones 4**

RISOTTO CON TERNERA Y SALVIA

CARBONADA CRIOLLA

Ingredientes

2 cucharadas de aceite de oliva
1 diente de ajo, machacado
1 cebolla grande, picada
800g de espaldilla de ternera, sin hueso, cortada en cubos de 2cm
400g de tomates de lata, pelados
1½ tazas de caldo de res
2 ramitas de tomillo, hojas separadas, sin tallos
¼ taza de perejil, picado
Sal y pimienta negra recién molida
¼ calabaza amarilla pequeña, cortada en cubos de 2cm
2 papas medianas, cortadas en cubos de 2cm
1½ tazas de arroz basmati o de grano largo

Preparación

1 En una cacerola grande calentar el aceite y saltear el ajo y la cebolla. Añadir la carne de ternera y cocer a fuego alto, revolviendo, para que se dore ligeramente.

2 Agregar los tomates, el caldo, el tomillo y el perejil, sazonar con sal y pimienta. Dejar que suelte el hervor, cocinar a fuego lento durante 25 minutos.

3 Añadir las verduras en cubos y el arroz. Tapar y hervir a fuego lento durante 25 minutos. Revolver ocasionalmente durante la cocción y añadir más caldo si es necesario. Sazonar al gusto. Servir con elote cocido al vapor. **Porciones 4**

FILETES DE CORDERO CON SALSA PILAF

Ingredientes

2 filetes de cordero, aproximadamente 750g
1 diente de ajo, machacado
1 cucharada de jugo de limón amarillo
2 cucharaditas de aceite de oliva
Sal y pimienta negra

Salsa pilaf

1 ½ tazas de arroz
60g de piñones
2 cucharadas de pasas
300g de salsa de tomate

Preparación

1 Cortar los filetes de cordero. En un recipiente colocar la carne, el ajo, el jugo de limón, sal y pimienta. Tapar y dejar reposar durante 30 minutos.

2 Cocer el arroz en agua hirviendo con sal durante 10 minutos hasta que esté suave. Colar bien y mantener caliente. Calentar una cacerola pequeña, añadir los piñones y agitarlos, hasta que cambien de color. Agregar los piñones y las pasas al arroz y mezclar bien.

3 Calentar la parrilla y engrasar ligeramente. Colocar el cordero en la parrilla y cocer de 6 a 8 minutos, voltear una vez. Dejar reposar durante 5 minutos, cortar en rebanadas de 1 cm. Calentar la salsa a un lado de la parrilla.

4 Llenar una taza de arroz y voltearla sobre un plato para servir. Verter la salsa sobre el arroz y repartir las rebanadas de carne alrededor de la base del arroz. **Porciones 4**

JAMBALAYA

Ingredientes

2 cucharadas de mantequilla
2 tazas de arroz de grano medio
1 pimiento verde, picado
2 cebollas, finamente rebanadas
1 diente de ajo, machacado
150g de pollo cocido
150g de langostinos, pelados, sin vena
125g de jamón, en cubos de 1cm
400g de tomates de lata
3 tazas de caldo de pollo
2 cucharaditas de salsa inglesa
1 pizca de pimienta de Cayena
4 cucharadas de pasta de tomate
Sal y pimienta
¼ taza de perejil, picado

Preparación

1 En una cacerola grande derretir la mantequilla, freír el arroz, el pimiento, las cebollas y el ajo durante 2 minutos, revolver bien para bañar el arroz con la mantequilla. Añadir el resto de los ingredientes y revolver bien. Tapar y cocer a fuego lento de 20 a 25 minutos. Retirar la tapa, dejar reposar durante 5 minutos. Decorar con perejil extra y servir. **Porciones 4**

NASI GORENG

Ingredientes

1¼ tazas de arroz de grano largo
¼ taza de aceite vegetal
1 manojo de cebollas de cambray, finamente rebanadas
2.5cm de jengibre, finamente picado
1-2 chiles rojos, sin semillas, finamente rebanados
225g de filete de cerdo, picado
2 dientes de ajo, machacados
¼ taza de salsa de soya
200g de langostinos cocidos, pelados, sin vena
Jugo de ½ limón amarillo
¼ taza de cilantro fresco

Preparación

1 En una cacerola mezclar el arroz con 2 tazas de agua, dejar que suelte el hervor, reducir el fuego, tapar y cocer durante 15 minutos. Retirar la cacerola del fuego, dejar reposar, tapada, durante 10 minutos. Colar, esparcir sobre un recipiente grande. Dejar enfriar durante 1 hora o hasta que esté completamente frío, moviendo ocasionalmente con un tenedor.

2 En una sartén grande de base gruesa calentar 2 cucharadas del aceite. Añadir la mitad de las cebollas de cambray, el jengibre y los chiles, saltear revolviendo a fuego lento de 2 a 3 minutos hasta que estén suaves. Añadir el resto del aceite, aumentar a fuego alto, agregar la carne de cerdo y el ajo, freír revolviendo durante 3 minutos.

3 Agregar el arroz en 3 tandas, revolviendo después de cada adición para mezclarlo bien con el resto de los ingredientes. Añadir la salsa de soya y los langostinos, freír revolviendo de 2 a 3 minutos hasta que estén calientes (si los langostinos están congelados, descongelarlos y secarlos bien previamente). Pasar a un platón, incorporar el jugo de limón. Acompañar con el resto de las cebollas de cambray y decorar con el cilantro. **Porciones 4**

RISOTTO DE TERNERA AL RON

Ingredientes

- 600g de carne de ternera, en cubos
- ¾ taza de ron añejo
- ¼ taza de jugo de piña fresco
- ⅓ taza de aceite de oliva
- 3 dientes de ajo, finamente picados
- ¼ taza de jugo de limón verde
- Sal y pimienta negra
- 1 manojo de cebollas de cambray, picadas
- 2 plátanos semi maduros, rebanados
- 2 tazas de arroz Arborio o de grano corto
- 1 taza de vino blanco
- 3 tazas de caldo de pollo, caliente
- ½ taza de perejil, picado

Salsa

- 1 piña pequeña, picada
- ½ cebolla morada, finamente picada
- ½ pimiento rojo, picado
- ½ taza de cilantro, picado
- 2 cucharadas de menta, picada
- 2 cucharadas de jugo de limón verde
- Sal y pimienta

Preparación

1. Colocar la carne de ternera en un recipiente resistente al calor junto con el ron, el jugo de piña, la mitad del aceite de oliva, el ajo, el jugo de limón, sal y pimienta. Marinar durante 2 horas, colar casi todo el líquido y asar la ternera a la parrilla, volteando frecuentemente, hasta que la carne esté casi cocida. Reservar.
2. Calentar el resto del aceite y saltear las cebollas de cambray hasta que estén suaves. Añadir los plátanos y freír durante 3 minutos. Agregar el arroz y mezclar. Añadir el vino y hervir a fuego lento hasta que el líquido se absorba, revolviendo constantemente.
3. Verter una taza del caldo caliente a la mezcla del arroz y cocer, revolviendo constantemente, hasta que se absorba todo el líquido. Añadir los cubos de la carne cocidos y su jugo, mezclar.
4. Continuar añadiendo el caldo por tazas y cocer de la misma manera hasta que se absorba todo el líquido. Retirar la sartén del fuego e incorporar el perejil.
5. Mezclar la piña con el resto de los ingredientes de la salsa y servir de inmediato sobre el risotto o al lado.
   Porciones 4

RISOTTO PICANTE

Ingredientes

- 1/3 taza de aceite de oliva
- 8 dientes de ajo, finamente picados
- 3cm de jengibre, rallado
- 1 manojo de cebollas de cambray, picadas
- 1/2 taza de perejil, picado
- 1/2 taza de cilantro, picado
- 2 chiles rojos pequeños, finamente picados
- 2 cucharaditas de comino molido
- 2 cucharaditas de cilantro molido
- 2 cucharaditas de cúrcuma (condimento parecido al azafrán y al jengibre)
- 800g de filetes de falda, en cubos
- 2 tazas de arroz Arborio o de grano corto
- 1/3 taza de vino tinto
- 1/3 taza de jerez
- 3 tazas de caldo de res, caliente
- 2 tomates, picados
- 2 cucharadas de jugo de limón verde
- 1/4 taza de perejil, picado
- 1/3 taza de yogur
- 1 cebolla, finamente picada, frita en abundante aceite

Preparación

1. Calentar 3 cucharadas del aceite de oliva, añadir el ajo, el jengibre, las cebollas de cambray, el perejil, el cilantro y las especias, saltear hasta que estén suaves y suelten el aroma. Agregar la carne y saltear hasta que cambie de color, aproximadamente 5 minutos. Reservar.
2. En otra cacerola calentar el resto del aceite y añadir el arroz. Revolver bien, añadir el vino tinto y el jerez, cocinar a fuego lento hasta que el líquido se haya absorbido. Verter 1 taza del caldo caliente a la mezcla del arroz y cocer, revolviendo constantemente, hasta que el líquido se absorba. Añadir los tomates y la mezcla de la carne junto con el líquido y las especias, cocer revolviendo hasta que todo el líquido se haya absorbido. Continuar añadiendo el caldo por tazas hasta que se absorba todo el líquido.
3. Retirar la cacerola del fuego y añadir el jugo de limón y el perejil, revolviendo bien. Servir en tazones individuales, decorar con un poco de yogur, cebollas fritas y un poco del perejil extra. **Porciones 4**

RISOTTO DORADO

Ingredientes

- 40g de mantequilla
- 2 tiras de tocino
- 1 cebolla pequeña, picada
- 250g de calabaza, en cubos
- 1 taza de arroz Arborio o de grano corto
- 1 1/2 tazas de caldo de pollo o de res, caliente
- 40g de queso parmesano
- 1/4 taza de perejil, picado

Preparación

1. En una sartén grande calentar la mantequilla, añadir el tocino, la cebolla y la calabaza, freír durante 2 minutos.
2. Agregar el arroz a la sartén y freír a fuego medio, revolviendo constantemente, durante 3 minutos o hasta que el arroz esté transparente. Verter 1 taza del caldo caliente y cocer, revolviendo constantemente, hasta que el líquido se absorba. Continuar añadiendo el caldo de la misma manera hasta que todo el caldo se haya absorbido y el arroz esté suave.
3. Revolver con un tenedor y espolvorear el queso parmesano y el perejil. **Porciones 4**

RISOTTO MAR Y TIERRA

Ingredientes

2 cebollas, rebanadas
⅓ taza de aceite de oliva
4 dientes de ajo, picados
400g de filete de res, cortado en 2 piezas
10 cebollas de cambray, picadas
1 pimiento rojo, cortado en tiras
2 tazas de arroz Arborio o de grano corto
½ taza de vinagre de vino blanco
1l de caldo de pollo, caliente
2 colas de langosta, cocidas, picadas
40g de queso parmesano, rallado
½ taza de perejil, picado
1 cucharada de crema agria

Preparación

1 Precalentar el horno a 220 °C. Incorporar las cebollas con la mitad del aceite y hornear de 30 a 40 minutos, revolviendo frecuentemente, hasta que estén doradas. Reservar hasta que el risotto esté listo para servir.

2 Mientras, en una cacerola calentar el resto del aceite y saltear ligeramente el ajo de 1 a 2 minutos. Añadir la carne y saltear a fuego alto hasta que esté sellado y crujiente por ambos lados. Retirar de la cacerola y mantener caliente, envuelto en papel aluminio.

3 Agregar las cebollas de cambray y el pimiento a la cacerola con el ajo, saltear hasta que estén suaves.

4 Añadir el arroz y revolver para bañarlo en el aceite, agregar el vino y hervir a fuego lento, revolviendo, hasta que el líquido se absorba. Verter 1 taza del caldo caliente a la mezcla del arroz y cocer revolviendo constantemente, hasta que todo el líquido se absorba. Continuar añadiendo el caldo por tazas hasta terminarlo. En la última adición del caldo añadir la carne de langosta y revolver. Cuando casi todo el líquido se haya absorbido y el arroz esté suave, incorporar el queso parmesano, el perejil y la crema agria.

5 Mientras, quitar el papel de la carne y cortar en rebanadas finas. Servir el risotto en tazones individuales, acomodar la carne sobre el risotto. Decorar con las cebollas y servir de inmediato. **Porciones 4**

RISOTTO DE CHILE CON CARNE

Ingredientes

3 cucharadas de aceite de oliva
1 cucharadita de canela molida
1 cucharadita de comino molido
1 chile rojo pequeño, finamente picado
2 dientes de ajo, finamente picados
750g de carne de res molida
2 cucharadas de pasta de tomate
2 tazas de puré de tomate
Sal y pimienta
1 cebolla, picada
2 tazas de arroz Arborio o de grano corto
¾ taza de vino tinto
3 tazas de caldo de res, caliente
800g de frijoles rojos, de lata
¾ taza de salsa taquera
2 jitomates Saladet, picados
½ taza de perejil, picado
½ taza de crema agria
½ taza de cilantro, picado

Preparación

1 Primero hacer el chile con carne. Calentar 2 cucharadas del aceite, añadir la canela, el comino, el chile y el ajo. Saltear durante 2 minutos, añadir la carne de res y saltear a fuego alto, desmenuzarla con una cuchara de madera. Cuando la carne cambie de color añadir la pasta y el puré de tomate, reducir a fuego lento. Cocer lentamente hasta que espese, aproximadamente una hora. Sazonar y reservar.

2 Calentar el resto del aceite de oliva y añadir la cebolla. Saltear hasta que esté suave, añadir el arroz y mezclar. Agregar el vino tinto y hervir a fuego lento hasta que el líquido se haya evaporado.

3 Añadir el caldo, una taza a la vez, revolviendo bien para que se absorba todo el líquido. Cuando se haya absorbido la mitad del caldo, añadir la mezcla del chile con carne, los frijoles rojos, la salsa taquera y los jitomates. Revolver bien, continuar añadiendo el caldo. Cuando casi se haya absorbido la última taza, retirar la sartén del fuego, añadir el perejil y revolver bien.

4 Servir el risotto en tazones individuales, decorar con una cucharada de crema agria y un poco de hojas de cilantro. **Porciones 4**

ARROZ CON POLLO FRITO

Ingredientes

2 cucharadas de aceite de oliva
1 pimiento rojo pequeño, cortado en tiras finas
1 pimiento verde pequeño, cortado en tiras finas
3 cebollas de cambray, rebanadas
1 diente de ajo, machacado
1cm de jengibre, rallado
2 pechugas de pollo, finamente rebanadas
¾ taza de caldo de pollo
1 cucharada de salsa de soya
1 cucharada de salsa de tomate
2 cucharaditas de maicena
1 cucharada de jerez seco

Preparación

1 En una sartén o wok calentar el aceite, freír revolviendo los pimientos, las cebollas de cambray, el ajo y el jengibre de 1 a 2 minutos. Retirar de la sartén y reservar.

2 Añadir el pollo a la sartén y freír revolviendo hasta que esté suave, de 3 a 4 minutos aproximadamente. Devolver las verduras a la sartén. Combinar el caldo, la salsa de soya y la salsa de tomate. Incorporar la maicena con el jerez y añadir al caldo. Verter la mezcla del caldo sobre el pollo y calentar, revolviendo, hasta que la mezcla hierva y espese. Servir el pollo sobre arroz caliente. **Porciones 4**

RISOTTO DE CHILE CON CARNE

POLLO FRITO CON LIMÓN

Ingredientes

4 filetes de pechuga de pollo, sin piel
Sal y pimienta negra
1 cucharada de salsa de soya light
2 cucharadas de aceite de oliva
Jugo de 1½ limones amarillos
25g de mantequilla
1 taza de arroz salvaje
1½ tazas de arroz de grano largo
2 cucharaditas de maicena
1¼ tazas de caldo de pollo
1 cucharada de azúcar
Ralladura de ½ limón amarillo
¼ taza de perejil

Preparación

1 Colocar las pechugas de pollo entre papel aluminio y aplanar ligeramente con un rodillo. Retirar el papel y cortar en tiras diagonales. Colocar en un tazón que no sea de metal, sazonar, añadir la salsa de soya, la mitad del aceite y 2 cucharadas del jugo de limón. Mezclar bien, tapar y refrigerar durante 20 minutos.

2 En una sartén grande de base gruesa calentar el resto del aceite con la mantequilla hasta que forme espuma. Añadir la mitad de las tiras de pollo y freír, revolviendo, a fuego alto durante 3 minutos o hasta que estén doradas y bien cocidas. Colocar en un plato y freír el resto del pollo, reservar.

3 Cocer el arroz salvaje en agua hirviendo durante 5 minutos, añadir el arroz blanco y cocer durante 8 minutos más.

4 Mezclar la maicena con 1 cucharada de agua hasta que esté suave. Añadir el caldo a la sartén junto con la maicena y revolver, a fuego alto, durante 2 minutos o hasta que esté suave y brillante. Incorporar el resto del jugo de limón y el azúcar. Regresar el pollo a la sartén y calentar de 1 a 2 minutos hasta que esté muy caliente. Servir sobre el arroz decorado con la ralladura de limón y el perejil. **Porciones 4**

RISOTTO ESPAÑOL

Ingredientes

1 pizca de hebras de azafrán
1l de caldo de pollo, caliente
2 cucharadas de aceite de oliva
2 cucharadas de paprika
¼ taza de hojuelas de chile seco
1 cucharadita de cúrcuma (condimento parecido al azafrán y al jengibre)
4 dientes de ajo, finamente machacados
2 cebollas, finamente rebanadas
2 filetes de pechuga de pollo, sin piel, finamente rebanadas
2 tazas de arroz Arborio o de grano corto
¾ taza de vino blanco
2 cucharadas de pasta de tomate
½ taza de perejil, picado
Ralladura y jugo de 1 naranja
4 hojas de cebollín, muy finamente picadas
Pimienta negra recién molida

Preparación

1 Añadir el azafrán al caldo caliente.

2 En una cacerola grande calentar el aceite de oliva, añadir la paprika, el chile, la cúrcuma y el ajo. Saltear durante 1 minuto para que las especias suelten el aroma. Agregar la cebolla y el pollo, saltear hasta que la cebolla esté muy suave y el pollo tome color opaco.

3 Añadir el arroz y revolver para cubrir bien, añadir después el vino. Revolver frecuentemente mientras el vino se absorbe. Cuando se haya absorbido todo el líquido, añadir la pasta de tomate, el perejil, la ralladura y el jugo de limón. Verter 1 taza del caldo caliente a la mezcla del arroz, cocer revolviendo constantemente, hasta que todo el líquido se absorba. Continuar añadiendo el caldo de la misma manera hasta que se absorba y el arroz esté suave.

4 Retirar la cacerola del fuego, añadir el cebollín, la pimienta negra y servir de inmediato. **Porciones 4**

POLLO GADO

Ingredientes

500g de filetes de pollo
1½ tazas de arroz de grano medio
200g de ejotes, cortados a la mitad
50g de cacahuates tostados, sin sal

Marinada satay

½ taza de mantequilla de cacahuate
½ cucharadita de chile en polvo
½ cucharadita de jengibre molido
2 cucharadas de jugo de limón amarillo
1 cucharada de azúcar morena
½ taza de leche de coco

Preparación

1 En una sartén colocar todos los ingredientes de la marinada, calentar y revolver para mezclar. En un recipiente que no sea de metal colocar los filetes de pollo y colocar suficiente marinada para cubrirlos bien. Tapar y dejar marinar durante 30 minutos mínimo en el refrigerador.

2 En agua hirviendo con sal cocer el arroz hasta que esté suave, aproximadamente 15 minutos. Colar bien. Cocer los ejotes al vapor hasta que estén suaves y crujientes, colar. Mezclar el arroz, los ejotes y la mitad de los cacahuates. Mantener caliente.

3 Calentar la parrilla y asar los filetes. Dejarlos durante 2 minutos por cada lado a intensidad alta, barnizar con la marinada durante la cocción. Calentar el resto de la marinada a un lado de la parrilla.

4 Sobre platos calientes para servir colocar el arroz. Acomodar de 2 a 3 filetes de pollo sobre el arroz, verter la marinada caliente encima y colocar el resto de los cacahuates tostados. **Porciones 4**

RISOTTO ESPANOLE

Ingredientes

2 pechugas de pollo, sin piel
1 cucharadita de paprika
1 cucharada de aceite de oliva
2 dientes de ajo, finamente picados
1 cebolla, finamente picada
2 tazas de arroz Arborio o de grano corto
½ taza de vino tinto
3 tazas de caldo de pollo, caliente
¾ taza de salsa taquera
2 cucharadas de pasta de tomate
2 tomates bola grandes, picados
Jugo y ralladura de 1 naranja
1 pimiento verde, rebanado
½ taza de crema agria
½ taza de perejil, picado

Preparación

1 Cubrir el pollo con la paprika. En una cacerola grande calentar el aceite, añadir el ajo y saltear durante 1 minuto. Agregar el pollo y freír hasta que esté dorado por ambos lados. Retirar de la cacerola y cortar en tiras.

2 En la misma cacerola saltear la cebolla hasta que esté suave. Agregar el arroz y revolver bien para cubrir con el aceite. Verter el vino y cocinar a fuego lento hasta que todo el líquido se haya absorbido y el alcohol se haya evaporado.

3 Añadir ½ taza del caldo, las tiras de pollo, la salsa taquera, la pasta de tomate, los tomates, el jugo y la ralladura de naranja y el pimiento, revolver bien para integrar. Cuando todo el líquido se haya absorbido, añadir otra media taza de caldo caliente a la mezcla del arroz y cocinar, revolviendo constantemente, hasta que todo el líquido se absorba. Continuar añadiendo el caldo y cociendo de la misma manera hasta terminar el caldo y que el arroz esté suave.

4 Servir en tazones individuales, decorar con la crema agria, el perejil y la ralladura extra de naranja. **Porciones 4**

POLLO ASADO CON ARROZ DE JENGIBRE

Ingredientes

500g de filetes de pollo

Marinada de soya y miel

- 1 cucharada de semillas de ajonjolí, tostado
- 1 cucharada de mirin (vino de arroz sin alcohol tradicional de la cocina japonesa)
- 2 cucharaditas de miel o salsa de ciruela
- 2 cucharaditas de salsa de soya
- 2 cucharaditas de salsa de ostión
- 1 cucharadita de aceite de ajonjolí

Arroz de jengibre

- 4cm de jengibre, finamente picado
- 1 cucharadita de aceite de ajonjolí
- 1 taza de arroz de grano medio, enjuagado, colado
- 300ml de cerveza de jengibre
- 1 cucharada de jengibre encurtido, picado
- 1 rabo de cebolla de cambray, finamente picado

Preparación

1. En un tazón de cerámica o de vidrio colocar todos los ingredientes de la marinada. Mezclar para incorporar. Añadir el pollo, bañar con la marinada y refrigerar durante 1 hora por lo menos.
2. Para hacer el arroz, en una cacerola grande colocar el jengibre fresco y el aceite de ajonjolí, saltear a fuego lento, revolviendo ocasionalmente, durante 5 minutos. Añadir el arroz y freír, revolviendo, durante 2 minutos más. Incorporar la cerveza de jengibre y el jengibre encurtido. Dejar que suelte el hervor, reducir el fuego y tapar. Cocer de 10 a 15 minutos o hasta que el líquido se haya absorbido y el arroz esté cocido. Añadir el rabo de la cebolla de cambray picado.
3. Mientras, precalentar la parrilla a intensidad media. Colocar el pollo sobre la parrilla, asar de 6 a 7 minutos o hasta que esté bien cocido y un poco crujiente por fuera, barnizar ocasionalmente con la marinada. Servir con el arroz de jengibre y verduras verdes al vapor. **Porciones 4**

POLLO KORMA CON ARROZ

Ingredientes

3 cucharadas de aceite vegetal
1 cebolla, picada
2 dientes de ajo, machacados
3 cucharadas de harina común
2 cucharadas de curry korma en polvo
750g de filetes de pollo, sin piel, en cubos de 2.5cm
1 ½ tazas de caldo de pollo
25g de pasas
¼ taza de cilantro, picado
1 cucharadita de garam masala (mezcla de especias aromáticas de la cocina hindú)
Jugo de ½ limón amarillo
⅓ taza de crema agria

Preparación

1 En una cacerola grande de base gruesa calentar el aceite, añadir la cebolla y el ajo, saltear ligeramente durante 5 minutos o hasta que estén suaves.

2 En un tazón colocar la harina y el curry en polvo, mezclar bien. Revolcar el pollo en la harina sazonada, cubrir bien. Agregar el pollo a la mezcla de ajo y cebolla, sofreír revolviendo de 3 a 4 minutos hasta que esté ligeramente dorado. Incorporar la harina sazonada y cocinar durante 1 minuto.

3 Añadir el caldo y las pasas, dejar que suelte el hervor, revolviendo. Tapar y hervir a fuego lento durante 15 minutos. Agregar el cilantro y el garam masala, cocinar durante 5 minutos más o hasta que suelten los sabores y el pollo esté bien cocido. Retirar la cacerola del fuego e incorporar el jugo de limón y la crema agria. Regresar al fuego y calentar bien, no dejar que la mezcla hierva. **Porciones 4**

ARROZ CON POLLO CHEDDAR

Ingredientes

30g de mantequilla
2 rabos de cebollas de cambray, rebanados en diagonal
100g de champiñones, rebanados
½ pimiento verde, picado
1 cucharada de harina común
1 taza de leche
250g de queso cheddar, rallado
Sal y pimienta
300g de pollo cocido, en cubos
⅓ taza de aceitunas rellenas, rebanadas
60g de almendras fileteadas, tostadas
2 tazas de arroz de grano medio
¼ taza de perejil, picado

Preparación

1 Derretir la mantequilla y saltear ligeramente los rabos de las cebollas, los champiñones y el pimiento. Retirar de la sartén.

2 Añadir la harina a la sartén y cocinar durante 1 minuto, incorporar gradualmente la leche y dejar que suelte el hervor, agregar ¾ del queso y sazonar. Revolver hasta que el queso se derrita. Añadir el pollo, las verduras cocidas, las aceitunas y las almendras, cocinar.

3 En una cacerola mezclar el arroz con 3 tazas de agua. Dejar que suelte el hervor, reducir a fuego lento, tapar y cocer durante 15 minutos. Retirar la sartén del fuego, dejar reposar, tapada, durante 10 minutos.

4 Combinar el perejil picado con el arroz. Colocar el arroz en un plato caliente para servir y acomodar el pollo en el centro. Espolvorear el resto del queso encima del pollo. **Porciones 4**

MORG POLO

Ingredientes

1 taza de arroz de grano largo
1 cucharadita de sal
800g de filetes de muslo de pollo
60g de mantequilla
1 cebolla, finamente picada
¼ taza de piñones
1 ramita de tomillo, hojas separadas, desechar los tallos
Sal y pimienta negra recién molida
¼ cucharadita de canela molida
2 ½ tazas de caldo de pollo
½ taza de chabacanos, rebanados
½ taza de pasas

Preparación

1 Cubrir el arroz con agua, añadir la sal y remojar durante 2 horas. Colar bien. Reservar.

2 Cortar cada filete de pollo en 3 o 4 piezas. En una cacerola grande de base gruesa calentar ⅔ de la mantequilla y dorar el pollo por ambos lados a fuego alto. Retirar y colocar en un plato.

3 Añadir el resto de la mantequilla y saltear la cebolla y los piñones. Añadir el tomillo, la sal, la pimienta y la canela. Agregar el arroz y revolver bien.

4 Hervir el caldo de pollo y verterlo sobre el arroz. Devolver las piezas de pollo a la cacerola, agregar los chabacanos y las pasas. Dejar que suelte el hervor durante 2 minutos, reducir el fuego, tapar y hervir a fuego lento durante 10 minutos.

5 Colocar un paño limpio bajo la tapa de la cacerola, presionando ligeramente. Cocer a fuego muy lento de 30 a 35 minutos sin mover. Después mover con un tenedor y servir caliente. **Porciones 4**

RISOTTO CON PATO LAQUEADO

Ingredientes

1 pato laqueado cocido, cortado en piezas
1 cucharada de aceite de oliva
1 cucharada de aceite de ajonjolí tostado
8 cebollas de cambray, finamente picadas
2 tazas de arroz Arborio o de grano corto
1 taza de vino blanco seco
3 tazas de caldo de pollo, caliente
4 coles chinas baby, en mitades o en cuartos
½ taza de caldo de pato, caliente
200g de castañas de agua, coladas, rebanadas
½ taza de cilantro, picado
½ taza de perejil, picado

Preparación

1 Deshuesar el pato y reservar la piel. Rebanar la carne y reservar.

2 En una cacerola calentar el aceite de olivo y el aceite de ajonjolí, añadir las cebollas de cambray. Saltear durante 1 minuto, agregar el arroz y revolver para cubrir con el aceite. Añadir el vino y revolver hasta que el líquido se absorba. Verter 1 taza del caldo caliente al arroz y cocer, revolviendo constantemente, hasta que el líquido se absorba. Añadir la col china, la carne de pato y el caldo de pato, revolver. Continuar añadiendo el caldo y cociendo de la misma manera hasta que se use todo el caldo.

3 Con la última taza del caldo agregar las castañas de agua. Cuando todo el líquido se haya absorbido retirar la cacerola del fuego. Agregar el resto de las hierbas frescas y mezclar bien. Servir decorado con la piel de pato crujiente. **Porciones 4**

RISOTTO MARROQUÍ DE CODORNIZ

Ingredientes

1 taza de aceite vegetal
1 cucharadita de comino molido
1 cucharadita de cilantro molido
1 cucharadita de cúrcuma (condimento parecido al azafrán y al jengibre)
1 ramita de canela
3 poros, sólo la parte blanca, finamente rebanados, lavados
400g de codorniz
2 tazas de arroz Arborio o de grano corto
1 taza de vino blanco
3 tazas de caldo de pollo, caliente
½ taza de pasas
½ taza de perejil
⅓ taza de piñones, tostados
Pimienta negra recién molida

Preparación

1 Precalentar el horno a 180 °C. En una cacerola grande calentar 2 cucharadas del aceite de oliva y añadir las especias, agregar ⅔ del poro. Saltear hasta que esté suave y agregar las piezas de codorniz. Saltear ligeramente durante 10 minutos.

2 Retirar las piezas de codorniz y hornear de 15 a 20 minutos. En una cacerola calentar el resto del aceite hasta que esté bien caliente. Agregar el resto del poro y freír hasta que esté crujiente. Colar sobre papel absorbente y reservar.

3 Mientras, hacer el risotto. Añadir el arroz a la cacerola y revolver para cubrir. Agregar el vino y dejar que el líquido se absorba. Verter el caldo, una taza a la vez, revolviendo bien después de cada adición. Agregar las pasas con la segunda taza, continuar añadiendo el caldo y cociendo de la misma manera. Con la última adición de caldo agregar el perejil y cocer durante 2 minutos. Retirar del fuego.

4 Separar parte de la carne de la codorniz y mezclar con el risotto. Retirar la ramita de canela. Servir decorado con la codorniz, los piñones, la pimienta y el poro frito. **Porciones 4**

RISOTTO CON PATO LAQUEADO

TORTELLINI DE JAMÓN Y QUESO CON SALSA DE SALVIA

Ingredientes

90g de mantequilla

1 diente de ajo, picado muy finamente

20 hojas de salvia, picadas muy finamente

Pimienta negra recién molida

500g de tortellini o ravioles de jamón ahumado y queso

50g de queso parmesano, rallado

Preparación

1 En una sartén pequeña de base gruesa colocar la mantequilla, el ajo y la salvia, calentar a fuego lento de 1 a 2 minutos hasta que la mantequilla se derrita. Sazonar con pimienta.

2 En una cacerola grande hervir agua con sal, añadir la pasta y cocer durante 6 minutos. Colar y pasar ⅓ a un platón caliente. Revolver con 1 cucharada de la salsa y la mitad del queso parmesano. Repetir con otro ⅓ de pasta y la salsa, añadir el resto de la pasta y verter el resto de la salsa y del parmesano encima. Revolver bien, servir decorada con queso parmesano extra. **Porciones 4**

LINGUINE CON JAMÓN, AZAFRÁN Y CREMA

Ingredientes

1 cucharadita de hebras de azafrán

¾ taza de crema

150g de rebanadas gruesas de jamón, en cubos

60g de queso parmesano, rallado

Sal y pimienta negra recién molida

400g de linguine o tallarines

¼ taza de perejil, picado

Preparación

1 Colocar el azafrán en 2 cucharadas de agua hirviendo y dejar impregnar durante 10 minutos. En una sartén pequeña colocar la crema, el jamón y el queso parmesano, calentar ligeramente sin que hierva. Añadir la mezcla del azafrán a la crema, sazonar al gusto y mezclar bien.

2 Mientras, en una cacerola hervir agua con sal, añadir la pasta y cocer durante 8 minutos o hasta que esté suave y el centro firme (al dente). Colar, pasar la mitad de la pasta a un platón y mezclar con la mitad de la salsa. Añadir el resto de la pasta, verter el resto de la salsa, espolvorear el perejil y servir con el queso parmesano extra. **Porciones 4**

CONCHIGLIE HORNEADO CON SALCHICHAS Y MOSTAZA

Ingredientes

2 cucharadas de aceite de oliva

1 ramita de romero, hojas separadas, picadas

¼ taza de salvia, picada

2 dientes de ajo, picados

500g de salchichas de cerdo, picadas

⅓ taza de vino blanco seco

500g de conchiglie o conchas

40g de mantequilla

¼ taza de pan molido seco

Salsa bechamel

90g de mantequilla

⅓ taza de harina común

3 tazas de leche

50g de queso parmesano, rallado

50g de queso gruyer, rallado

2 cucharaditas de mostaza de Dijon

Sal y pimienta de Cayena

Preparación

1 Para hacer la salsa bechamel, en una cacerola derretir la mantequilla a fuego lento, incorporar la harina y revolver hasta que forme una pasta. Retirar del fuego, añadir gradualmente la leche, moviendo. Devolver al fuego y cocer, revolviendo, de 3 a 4 minutos, hasta que hierva lentamente. Incorporar el queso parmesano, el gruyer, la mostaza, una pizca de sal y de pimienta de Cayena.

2 Precalentar el horno a 200 °C. En una sartén calentar el aceite, saltear ligeramente las hierbas y el ajo durante 1 minuto. Añadir las salchichas y freír durante 10 minutos o hasta que estén cocidas, revolver a menudo. Verter el vino y cocer de 2 a 3 minutos para que reduzca ligeramente.

3 Mientras, en una cacerola grande hervir agua con sal, añadir la pasta y cocer durante 8 minutos o hasta que esté suave y el centro firme (al dente). Colar e incorporar a la mezcla de las salchichas. Engrasar un recipiente para horno de 30 x 20 cm, engrasar con la mitad de la mantequilla, esparcir la mitad del pan molido. Colocar la pasta y la mezcla de las salchichas, verter encima la salsa bechamel. Espolvorear el resto del pan molido, colocar encima el resto de la mantequilla. Hornear durante 15 minutos. Precalentar la parrilla a intensidad alta, asar de 2 a 3 minutos para dorar la parte superior. **Porciones 4**

ESPAGUETI CON PEPPERONI

Ingredientes

500g de espagueti

1 cucharada de aceite de oliva

1 cebolla, finamente picada

90g de aceitunas negras, sin hueso, picadas

125g de pepperoni, picado

Preparación

1 En una cacerola hervir agua con sal, añadir el espagueti y cocer durante 8 minutos o hasta que esté suave y el centro firme (al dente). Colar, reservar y mantener caliente.

2 En una sartén grande calentar el aceite, agregar la cebolla y saltear a fuego medio de 5 a 6 minutos o hasta que esté transparente. Añadir las aceitunas y el pepperoni, saltear durante 2 minutos más.

3 Añadir el espagueti a la sartén, revolver para mezclar. Servir de inmediato. **Porciones 4**

GRATÍN DE QUESO AZUL Y TOCINO

Ingredientes

250g de pasta de conchiglie o conchas
375g de brócoli, cortado en racimos pequeños
25g de mantequilla
1½ tazas de harina común
1¼ tazas de leche
1 cucharadita de mostaza inglesa
125g de queso azul, desmenuzado
Pimienta negra
200g de tocino ahumado, en cubos
½ manojo de cebollín, picado
50g de queso parmesano, rallado

Preparación

1. En una cacerola hervir agua con sal, añadir la pasta y cocer durante 6 minutos, añadir el brócoli y cocer durante 2 minutos más, hasta que la pasta esté suave y el centro firme y el brócoli esté suave. Colar y regresar a la cacerola.
2. En otra cacerola derretir la mantequilla a fuego lento. Añadir la harina y cocinar de 1 a 2 minutos, revolviendo. Retirar del fuego y añadir gradualmente la leche, revolviendo hasta que esté suave. Regresar al fuego y dejar que suelte el hervor. Incorporar la mostaza, el queso azul y sazonar. Cocinar a fuego lento, sin tapar, durante 5 minutos o hasta que espese.
3. Mientras, en una sartén de teflón freír el tocino durante 5 minutos hasta que esté bien cocido. Añadir a la mezcla del queso e incorporar el cebollín. Precalentar la parrilla a intensidad alta. Añadir la salsa de queso a la pasta, mezclar bien, pasar a un recipiente resistente al calor. Espolvorear con el queso parmesano y asar durante 5 minutos o hasta que esté dorado. **Porciones 4**

ÑOQUIS CON CARNE DE CERDO Y PIMIENTO

Ingredientes

350g de filetes de cerdo, en cubos
4 dientes de ajo, picados muy finamente
4 ramitas de orégano, hojas separadas, picadas
Jugo de ½ limón amarillo
¼ taza de aceite de oliva extra virgen
Sal y pimienta negra recién molida
½ cebolla, picada muy finamente
1 tallo de apio, picado muy finamente
¼ taza de perejil, picado muy finamente
1 pimiento amarillo grande, cortado en trozos de 2.5cm
¾ taza de puré de tomate
¼ taza de caldo de res
800g de ñoquis
30g de aceitunas negras, sin hueso, rebanadas

Preparación

1 En un recipiente de cerámica o de vidrio colocar la carne de cerdo y añadir la mitad del ajo, el orégano, el jugo de limón, 1 cucharada del aceite y sazonar. Tapar y refrigerar durante 1 hora para marinar.

2 En una cacerola grande de base gruesa calentar el resto del aceite. Añadir la cebolla y una pizca de sal, saltear durante 5 minutos o hasta que esté suave. Agregar el resto del ajo, el perejil, el apio y el pimiento, saltear a fuego lento durante 10 minutos o hasta que el pimiento comience a suavizarse.

3 Incorporar el puré de tomate y hervir a fuego lento durante 10 minutos, revolviendo frecuentemente. Agregar la carne junto con la marinada y el caldo. Cocinar a fuego lento, sin tapar, durante 10 minutos o hasta que la salsa se espese y la carne esté cocida, revolviendo ocasionalmente.

4 En una cacerola grande hervir agua con sal, añadir la pasta y cocer hasta que flote. Colar, verter la salsa encima y revolver, esparcir las aceitunas para servir. **Porciones 4**

CAVATELLI CON RÚCULA, TOCINO Y TOMATES DESHIDRATADOS

Ingredientes

500g de cavatelli o penne
1 cucharada de aceite de oliva extra virgen
2 dientes de ajo, machacados
100g de tocino, picado
1 taza de puré de tomate
100g de tomates deshidratados
1 manojo de rúcula
Sal y pimienta negra recién molida

Preparación

1 En una cacerola hervir agua con sal, añadir la pasta y cocer durante 8 minutos o hasta que esté suave y el centro firme (al dente). Colar, reservar y mantener caliente.

2 En una cacerola calentar el aceite, añadir el ajo y el tocino, saltear durante 2 minutos o hasta que el ajo esté suave y los sabores bien combinados.

3 Añadir la pasta a la cacerola junto con el puré de tomate, los tomates deshidratados, la rúcula, la sal y la pimienta, calentar bien y servir. **Porciones 4**

ESPAGUETI CON JAMÓN Y CHAMPIÑONES

Ingredientes

¼ taza de aceite de oliva extra virgen

50g de mantequilla

100g de champiñones, rebanados

2 chalotes (parecido al ajo, pero con dientes más grandes), picados muy finamente

150g de rebanadas gruesas de jamón, picadas

1 cubo de caldo de res

⅓ taza de vino tinto

⅓ taza de puré de tomate

Sal y pimienta negra

500g de espagueti fresco

40g de queso parmesano

Preparación

1. En una sartén grande de base gruesa calentar el aceite y la mantequilla. Añadir los champiñones, los chalotes y el jamón, saltear ligeramente de 2 a 3 minutos hasta que tomen color.
2. Desmenuzar el cubo de caldo y añadir a la mezcla de los champiñones junto con el vino. Hervir a fuego lento de 1 a 2 minutos, incorporar el puré de tomate y hervir a fuego lento de 2 a 3 minutos o hasta que los chalotes estén suaves. Sazonar al gusto.
3. En una cacerola grande hervir agua con sal, añadir la pasta y cocer de 2 a 3 minutos o hasta que esté suave y el centro firme (al dente). Colar y reservar una taza del líquido de cocción, añadir la pasta a la mezcla de los champiñones y revolver durante 1 minuto, añadir el líquido de cocción si el platillo está un poco seco. Servir decorado con el queso parmesano. **Porciones 4**

ESPAGUETI CARBONARA

Ingredientes

200g de rebanadas de jamón, cortadas en tiras
3 huevos
⅓ taza de crema espesa
90g de queso parmesano, rallado
500g de espagueti
Pimienta negra recién molida

Preparación

1 Calentar una sartén de teflón, agregar el jamón y cocer a fuego medio de 2 a 3 minutos. En un tazón colocar los huevos, la crema y el queso parmesano, batir ligeramente para mezclar.

2 En una cacerola grande hervir agua con sal, añadir el espagueti y cocer durante 8 minutos o hasta que esté suave y el centro firme (al dente). Colar y colocarlo en un platón para servir. Añadir la mezcla del huevo y revolver dejando que el espagueti caliente cueza la salsa. Sazonar con pimienta negra y servir. **Porciones 4**

CORDERO PICANTE CON PASTA

Ingredientes

¼ taza de aceite vegetal
1 chile pequeño
2 faldas de cordero
¼ taza de cilantro molido
¼ taza de perejil molido
1 cucharada de jugo de limón amarillo
2 dientes de ajo, machacados
90g de mantequilla
250g de fettuccine

Preparación

1 Mezclar el aceite y el chile, reservar. Con un cuchillo filoso retirar las membranas finas de la carne. Colocar en un plato y bañar con el aceite de chile. Dejar reposar durante 20 minutos.

2 En un tazón pequeño mezclar el cilantro, el perejil y el jugo de limón, dejar reposar durante 5 minutos. Añadir el ajo y la mantequilla derretida, mezclar bien. Reservar.

3 En una cacerola hervir agua con sal, añadir la pasta y cocer durante 8 minutos o hasta que esté suave y el centro firme (al dente). Colar bien, regresar a la cacerola caliente y revolver con la mezcla de la mantequilla. Mantener caliente.

4 Calentar la parrilla a intensidad alta y engrasar. Añadir la carne y sellar rápidamente por ambos lados. Retirar de la parrilla.

5 Rebanar la carne en cortes diagonales. Servir la pasta en platos individuales, colocar encima la carne y servir de inmediato. **Porciones 4**

TAGLIATELLE DE TOCINO

Ingredientes

500g de tagliatelle o tallarines
6 tiras de tocino
1 cucharadita de comino molido
¼ taza de menta, picada
3 jitomates Saladet, picados
½ taza de tahini (puré de ajonjolí)

Preparación

1. En una cacerola hervir agua con sal, añadir la pasta y cocer durante 8 minutos o hasta que esté suave y el centro firme (al dente). Colar, reservar y mantener caliente.
2. En la parrilla colocar el tocino y espolvorear ligeramente con el comino. Asar en la parrilla caliente de 2 a 3 minutos. Cortar en trozos de 2 cm.
3. Revolver el tocino, la menta y los tomates con la pasta caliente. Verter la salsa tahini y servir decorada con menta extra. **Porciones 4**

RAVIOLES DE RES CON CREMA Y QUESO PARMESANO

Ingredientes

600g de ravioles de res
¾ taza de crema
30g de mantequilla
Pimienta negra recién molida
Nuez moscada recién molida
60g de queso parmesano, rallado

Preparación

1 En una cacerola hervir agua con sal, añadir los ravioles y cocer durante 6 minutos. Mientras, en una sartén grande de base gruesa colocar la mitad de la crema y la mantequilla, calentar ligeramente durante 1 minuto o hasta que la mantequilla se derrita.

2 Colar los ravioles y añadir de inmediato a la mezcla de la crema con mantequilla. Cocer durante 30 segundos, revolviendo, incorporar el resto de la crema y suficiente pimienta, nuez moscada y queso parmesano. Revolver sobre el fuego durante unos segundos, hasta que los ravioles estén bien bañados en la salsa, servir con queso parmesano extra. **Porciones 4**

HORNEADO DE PASTA, POLLO Y VERDURAS

Ingredientes

250g de pasta en espiral
2 cucharadas de aceite vegetal
500g de filetes de muslo de pollo, cortado en cubos
4 cebollas de cambray, rebanadas
1 diente de ajo, machacado
1 calabacita italiana, picada
150g de champiñones, picados
¼ taza de vino tinto
½ taza de miel
1 cucharadita de mostaza inglesa picante
½ taza de crema espesa
1½ tazas de pan molido
¼ taza de perejil, picado

Preparación

1 Precalentar el horno a 190 °C. Engrasar ligeramente un recipiente hondo.

2 En una cacerola hervir agua con sal, añadir la pasta y cocer durante 8 minutos o hasta que esté suave y el centro firme (al dente). Colar, reservar y mantener caliente.

3 Mientras, en una cacerola grande calentar el aceite a fuego medio. Añadir el pollo, las cebollas de cambray y el ajo, saltear durante 4 minutos.

4 Añadir las calabacitas, los champiñones, el vino tinto, la miel, la mostaza y la crema. Dejar que suelte el hervor, tapar y cocinar a fuego lento durante 5 minutos. Añadir la pasta y mezclar. Combinar el pan molido con el perejil.

5 Colocar la pasta en un recipiente hondo. Espolvorear el pan molido con el perejil y hornear durante 25 minutos o hasta que la superficie esté dorada y crujiente. **Porciones 4**

Si la pasta y la salsa se preparan con antelación, añadir crema o caldo extra a la mezcla antes de hornear, ya que la pasta tiende a absorber el líquido.

RAVIOLES DE RES CON CREMA Y QUESO PARMESANO

PASTA ITALIANA CON POLLO

Ingredientes

200g de tallarines
1 cucharada de aceite de oliva
2 dientes de ajo, machacados
250g de filetes de pechuga de pollo, cortados en tiras
1 cebolla pequeña, picada
1 calabacita italiana, rebanada
1 pimiento rojo pequeño, cortado en tiras
90g de chícharos
1 cucharadita de sal
1 cucharadita de aderezo italiano
2 jitomates Saladet, sin semillas, picados
40g de queso parmesano, rallado

Preparación

1 En una cacerola hervir agua con sal, añadir la pasta y cocer durante 8 minutos o hasta que esté suave y el centro firme (al dente). Colar, reservar y mantener caliente.

2 En una sartén grande calentar el aceite, añadir el ajo y el pollo. Freír revolviendo a fuego medio durante 5 minutos. Agregar la cebolla, la calabacita, el pimiento, los chícharos y sazonar, freír revolviendo durante 2 minutos más. Añadir los jitomates, revolver de 1 a 2 minutos para calentar bien. Retirar del fuego y añadir la pasta, mezclar. Espolvorear con el queso parmesano para servir. **Porciones 4**

PASTA CREMOSA CON POLLO

Ingredientes

20g de mantequilla
500g de filetes de pechuga de pollo, finamente rebanados
1 diente de ajo, machacado
1 manojo pequeño de cebollín, picado
Sal
½ taza de perejil, finamente picado
1 ¼ tazas de crema espesa
250g de penne

Preparación

1 En una sartén calentar la mitad de la mantequilla a fuego medio. Añadir las pechugas de pollo, el ajo, el cebollín y la sal. Saltear durante 4 minutos, revolviendo ocasionalmente. Agregar el resto de la mantequilla, el perejil, la crema y la pimienta.

2 Mientras, en una cacerola grande hervir agua con sal, añadir la pasta y cocer durante 8 minutos o hasta que esté suave y el centro firme (al dente). Colar, mezclar la salsa con la pasta. Servir en tazones individuales calientes. **Porciones 4**

PENNE CON POLLO AL CURRY

Ingredientes

¼ taza de pasas sultanas
60g de mantequilla
1 cucharada de aceite de oliva
½ taza de crème fraîche o crema fresca
½ taza de vino blanco seco
2 cucharadas de leche
1 cucharada de curry en polvo
1 diente de ajo grande, picado muy finamente
2 hojas de laurel
Sal
60g de almendras molidas
300g de filetes de pechuga de pollo, cocidas, cortadas en tiras pequeñas
500g de penne

Preparación

1. Colocar las pasas en un tazón, cubrir con agua hirviendo, dejar reposar durante 15 minutos para que se hinchen. Colar.
2. En una cacerola de base gruesa colocar la mantequilla, el aceite, la crème fraîche, el vino, la leche, el curry en polvo, el ajo, las hojas de laurel y la sal. Dejar que suelte el hervor, cocinar a fuego lento, sin tapar, de 15 a 20 minutos, hasta que la salsa se reduzca considerablemente, revolviendo ocasionalmente.
3. Incorporar las almendras, las pasas y el pollo. Sazonar si es necesario y cocer de 2 a 3 minutos hasta que esté bien caliente.
4. Mientras la salsa está hirviendo, en una cacerola hervir agua con sal, añadir la pasta y cocer durante 8 minutos o hasta que esté suave y el centro firme (al dente). Colar, pasar a un tazón caliente y colocar la mitad de la salsa, retirar las hojas de laurel. Revolver bien, verter el resto de la salsa. **Porciones 4**

LASAÑA DE BRÓCOLI CON POLLO

Ingredientes

1l de leche

2 chalotes (parecido al ajo, pero con dientes más grandes), rebanados

2 tallos de apio, rebanados

2 hojas de laurel

225g de brócoli, cortado en racimos pequeños

2 cucharadas de aceite vegetal

1 cebolla, picada

1 diente de ajo, machacado

225g de champiñones, rebanados

2 calabacitas italianas, rebanadas

40g de mantequilla

40g de harina común

125g de queso cheddar, finamente rallado

300g de filetes de pechuga de pollo, cocidos, cortados en cubos

Pimienta negra

175g de láminas de lasaña instantánea

Preparación

1 En una cacerola pequeña colocar la leche, los chalotes, el apio y las hojas de laurel, dejar que suelte el hervor, retirar del fuego y dejar reposar durante 20 minutos.

2 En una cacerola con agua hirviendo cocer el brócoli durante 2 minutos. Colar y reservar. En una sartén calentar el aceite y saltear la cebolla, el ajo, los champiñones y la calabacitas durante 5 minutos o hasta que estén suaves.

3 Precalentar el horno a 180 °C. En una sartén colocar la mantequilla y la harina, incorporar la leche colada, dejar que suelte el hervor, revolviendo. Hervir a fuego lento durante 3 minutos, revolviendo. Reservar ⅓ de la salsa. Añadir ¾ del queso cheddar, la mezcla de la cebolla, el brócoli, el pollo y la pimienta negra al resto de la salsa.

4 En un recipiente engrasado para horno servir la mitad de la mezcla del pollo. Cubrir con la mitad de las láminas de lasaña. Repetir las capas, verter la salsa reservada y espolvorear el resto del queso. Hornear durante 45 minutos o hasta que esté dorada. **Porciones 4**

TAGLIATELLE INTEGRAL CON SALCHICHAS Y PAVO

Ingredientes

500g de tagliatelle o espagueti integral

¼ taza de aceite de oliva

1 cebolla pequeña, finamente picada

1 pechuga pequeña de pavo, molida o finamente picada

2 cucharaditas de mostaza de Dijon

1 ramita de romero, hojas separadas, picadas

4 ramitas de salvia, picadas

1 pizca de nuez moscada

1 salchicha boerewors (típica de Sudáfrica, hecha con ternera y especias), en trozos pequeños

Preparación

1 En una cacerola grande hervir agua con sal, añadir la pasta y cocer de 10 a 12 minutos o hasta que esté suave y el centro firme (al dente). Colar, reservar y mantener caliente.

2 En una sartén calentar el aceite, añadir la cebolla y el pavo, saltear durante 5 minutos o hasta que el pavo esté cocido. Agregar la mostaza, el romero, la salvia, la nuez moscada y la salchicha. Cocinar durante 2 minutos. Incorporar la pasta cocida y caliente, servir decorada con salvia fresca extra. **Porciones 4**

RIGATONI CON PAVO Y RAGÚ DE SALVIA

Ingredientes

2 cucharadas de aceite de oliva
1 cebolla, finamente picada
1 chile rojo pequeño, sin semillas, finamente picado
1 pimiento verde, picado
500g de carne de pavo molida
400g de tomates de lata, picados
1 cucharada de puré de tomate
Sal y pimienta negra
50g de aceitunas negras, sin hueso, rebanadas
¼ taza de salvia, picada
500g de rigatoni o tortiglioni

Preparación

1 En una cacerola grande calentar el aceite, saltear ligeramente la cebolla, el chile y el pimiento, revolviendo durante 5 minutos o hasta que estén suaves sin que lleguen a dorar.

2 Añadir la carne de pavo, desmenuzarla con una cuchara de madera, freír revolviendo a fuego alto durante 5 minutos o hasta que esté ligeramente dorada. Agregar los tomates, el puré de tomate y sazonar. Tapar y hervir a fuego lento durante 20 minutos. Incorporar las aceitunas a la sartén junto con la mitad de la salvia. Hervir a fuego lento de 2 a 3 minutos.

3 Mientras, en una cacerola grande hervir agua con sal, añadir la pasta y cocer durante 8 minutos o hasta que esté cocida y el centro firme (al dente). Colar, añadir a la salsa y revolver ligeramente. Servir decorada con el resto de la salvia. **Porciones 4**

cocina selecta

verduras

RISOTTO DE TOMATE Y ALBAHACA

Ingredientes

20g de mantequilla
1 cucharada de aceite de oliva
2 dientes de ajo, finamente machacados
1 cebolla, finamente picada
2 tazas de arroz Arborio o de grano corto
½ taza de vino blanco seco
1l de caldo de verduras, caliente
4 jitomates Saladet
8 tomates deshidratados, picados
20 hojas de albahaca, cortadas en tiras
50g de queso parmesano, rallado
40g de queso mascarpone
Sal y pimienta negra recién molida

Preparación

1 En una cacerola grande calentar la mantequilla y el aceite, añadir el ajo y la cebolla. Saltear hasta que la cebolla esté transparente. Agregar el arroz y revolver para cubrirlo. Añadir el vino y revolver bien, dejando que el vino se absorba antes de agregar más líquido.

2 Verter 1 taza del caldo caliente a la mezcla del arroz y cocer, revolviendo constantemente, hasta que el líquido se absorba. Repetir con otra taza de caldo, añadir los jitomates, los tomates deshidratados y la albahaca, revolver bien.

3 Continuar añadiendo el caldo, taza por taza, hasta que el arroz esté suave y todo el líquido se haya absorbido.

4 Retirar la cacerola del fuego inmediatamente, incorporar el queso parmesano y el mascarpone. Sazonar.

5 Decorar con hojas extra de albahaca y servir de inmediato. **Porciones 4**

RISOTTO CON HIERBAS FRESCAS

Ingredientes

2 cucharadas de aceite de oliva
10 cebollas de cambray, picadas
2 tazas de arroz Arborio o de grano corto
½ taza de vino blanco
1l de caldo de verduras, caliente
½ taza de perejil, picado
½ taza de albahaca, picada
½ manojo de eneldo, picado
½ manojo pequeño de cebollín, picado
2 cucharadas de crema agria
50g de queso parmesano, rallado

Preparación

1 En una cacerola grande calentar el aceite de oliva, añadir las cebollas de cambray. Saltear ligeramente hasta que estén suaves.

2 Añadir el arroz y revolver para cubrir con el aceite. Añadir el vino y cocer hasta que se absorba.

3 Verter 1 taza del caldo caliente a la mezcla del arroz, cocer revolviendo constantemente, hasta que el líquido se absorba. Repetir con otra taza de caldo, añadir las hierbas y seguir revolviendo.

4 Continuar añadiendo el caldo, 1 taza a la vez, hasta que el arroz esté suave y el líquido se haya absorbido, retirar inmediatamente la cacerola del fuego.

5 Añadir la crema agria y el queso parmesano. Decorar con queso parmesano extra y servir de inmediato. **Porciones 4**

RISOTTO DE TOMATE Y ALBAHACA

NACHOS CON RISOTTO

Ingredientes

- 2 aguacates maduros, finamente picados
- 1 cebolla pequeña, finamente picada
- 1 pimiento rojo pequeño, finamente picado
- 1 cucharada de jugo de limón verde
- Sal y pimienta negra
- 1 cucharada de aceite de oliva
- ¼ cucharadita de hojuelas de chile
- 1 cebolla morada, picada
- 6 cebollas de cambray, finamente rebanadas
- 2 tazas de arroz Arborio o de grano corto
- ½ taza de vino blanco
- 3 tazas de caldo de verduras, caliente
- 450g de frijoles refritos de lata
- ¾ taza de salsa taquera
- ½ taza de crema agria
- 70g de totopos

Preparación

1 Mezclar el aguacate, la cebolla, el pimiento, el jugo de limón, la sal y la pimienta. Revolver bien y reservar.

2 Calentar el aceite de oliva y añadir el chile. Revolver durante 1 minuto, agregar la cebolla morada y la parte blanca de las cebollas de cambray. Saltear hasta que las cebollas estén suaves, añadir el arroz y revolver bien para bañarlo con el aceite.

3 Verter el vino y revolver hasta que el líquido se absorba. Añadir 1 taza del caldo caliente a la mezcla del arroz, cocer revolviendo constantemente hasta que el líquido se absorba. Repetir con otra taza de caldo. Añadir los frijoles refritos y la salsa taquera, mezclar.

4 Agregar la última taza del caldo y revolver hasta que el líquido se absorba. Retirar del fuego y servir en tazones individuales, decorar con la crema agria, la mezcla del aguacate, la parte verde de las cebollas de cambray y los totopos. **Porciones 4**

RISOTTO DE BETABEL FRESCO

Ingredientes

- 1 camote
- Aceite vegetal para freír
- 4 betabeles frescos, aproximadamente 600g
- 2 cucharadas de aceite de oliva
- 2 cebollas moradas, picadas
- 2 dientes de ajo, finamente picados
- 2 tazas de arroz Arborio o de grano corto
- ¾ taza de vino tinto
- 3 cucharadas de pasta de tomate
- 3½ tazas de caldo de verduras, caliente
- 20g de mantequilla
- 40g de queso parmesano, rallado
- ½ manojo de cebollín, picado
- Pimienta negra recién molida

Preparación

1 Rebanar el camote muy finamente. En una cacerola calentar abundante aceite vegetal y freír el camote en tandas hasta que esté crujiente. Escurrir sobre papel absorbente, reservar.

2 Pelar los betabeles, cortar un betabel en cubos de 1 cm. Rallar el resto.

3 Calentar el aceite de oliva, saltear las cebollas y el ajo hasta que estén suaves. Añadir el arroz y revolver para bañarlo con el aceite. Verter el vino tinto y revolver bien hasta que el vino se absorba. Incorporar la pasta de tomate y todos los betabeles.

4 Cocer a fuego medio, revolviendo constantemente, durante 3 minutos o hasta que el arroz se ponga translúcido. Verter 1 taza del caldo caliente a la mezcla del arroz, cocer revolviendo constantemente hasta que el líquido se absorba. Continuar cociendo de la misma manera hasta usar todo el caldo y que el arroz esté suave.

5 Retirar del fuego e incorporar la mantequilla, el queso, la mitad del cebollín y la pimienta negra. Servir en tazones individuales, decorar con el camote frito y el resto del cebollín. **Porciones 4**

RISOTTO CON CALABAZA

Ingredientes

1 calabaza amarilla, cortada en trozos grandes
Sal y pimienta fresca recién molida
20g de mantequilla
1 cucharada de aceite
1 cebolla morada grande, finamente picada
2 tazas de arroz Arborio o de grano corto
1¼ tazas de vino blanco seco
3 tazas de caldo de verduras, caliente
1 cucharada de jugo de limón amarillo
50g de queso parmesano, rallado
⅓ taza de perejil, picado
50g de queso mascarpone

Preparación

1 Hervir la mitad de los trozos de calabaza hasta que estén muy suaves. Colar y machacar, sazonar con sal y pimienta. Reservar.

2 En una sartén grande calentar la mantequilla y el aceite, saltear ligeramente la cebolla hasta que esté suave. Añadir el resto de la calabaza y cocer durante 5 minutos.

3 Añadir el arroz y revolver para cubrirlo con el aceite, añadir el vino y revolver hasta que se absorba. Verter 1 taza del caldo caliente a la mezcla del arroz y cocer, revolviendo constantemente, hasta que todo el líquido se absorba. Repetir con otra taza del caldo.

4 Agregar el puré de calabaza y continuar añadiendo el caldo. Cuando todo el caldo se haya absorbido agregar el jugo de limón, el queso parmesano y el perejil, revolver bien. Añadir el queso mascarpone, revolver para mezclar, espolvorear con perejil extra y servir. **Porciones 4**

ARROZ CON CHAMPIÑONES Y CEBADA

Ingredientes

1 cucharada de aceite de oliva
1 cebolla, picada
300g de champiñones, picados
3 champiñones portobello grandes, rebanados
¼ taza de perejil, picado
4 ramitas de tomillo, hojas separadas, sin tallos
3 dientes de ajo, machacados
½ taza de cebada perla
½ taza de arroz Arborio o de grano corto
1 ¼ litros de caldo de verduras
2 cucharadas de pasta de tomate
40g de queso parmesano, rallado

Preparación

1 En una cacerola grande de base gruesa calentar el aceite a fuego medio. Agregar la cebolla y saltear durante 5 minutos.

2 Añadir los champiñones y saltear hasta que tomen un color café, aproximadamente 15 minutos.

3 Agregar el perejil, el tomillo y el ajo, añadir la cebada y el arroz, revolver durante 1 minuto. Añadir 4 tazas del caldo y dejar que suelte el hervor. Reducir a fuego medio. Tapar y cocer hasta que se absorba casi todo el líquido y la cebada casi esté suave, aproximadamente 30 minutos.

4 Verter el resto del caldo a la cebada junto con la pasta de tomate. Cocer sin tapar durante 10 minutos hasta que la cebada esté suave y la mezcla esté cremosa, revolviendo ocasionalmente y añadir más caldo si es necesario.

5 Incorporar el queso y sazonar con sal y pimienta. **Porciones 4**

RISOTTO CON TOMATES CHERRY

Ingredientes

1 cucharadita de aceite de oliva
1 diente de ajo, finamente picado
1 cebolla morada, finamente picada
2 tazas de arroz Arborio o de grano corto
¾ taza de vino blanco
3½ tazas de caldo de verduras, caliente
600g de tomates cherry
20 hojas de albahaca
½ taza de perejil, picado
2 cucharadas de eneldo, picado
1 cucharada de yogur
40g de queso parmesano, rallado

Preparación

1. En una cacerola de teflón calentar el aceite de oliva, saltear el ajo y la cebolla hasta que estén suaves. Agregar el arroz y revolver para bañarlo con el aceite. Verter el vino y cocer a fuego alto hasta que se absorba. Verter 1 taza del caldo y ⅔ de los tomates cherry. Revolver bien hasta que el líquido se absorba.
2. Continuar añadiendo 1 taza del caldo a la vez, revolver bien después de cada adición.
3. Junto con la última cantidad de caldo, añadir todas las hierbas. Cocer durante 2 minutos más hasta que casi todo el líquido se haya absorbido, retirar la cacerola del fuego.
4. Cortar el resto de los tomates en mitades, añadirlos al risotto junto con el yogur y el queso parmesano. Revolver bien. Pasar a un platón para servir, decorar con queso parmesano extra y una ramita de albahaca.
   Porciones 4

RISOTTO A LA TOSCANA CON ALCACHOFAS, PIMIENTOS Y QUESO FONTINA

Ingredientes

2 cucharadas de aceite de oliva
1 poro, picado
6 chalotes (parecido al ajo, pero con dientes más grandes), finamente picados
3 dientes de ajo, finamente picados
2 tazas de arroz Arborio o de grano corto
¾ taza de vino blanco
3½ tazas de caldo de verduras, caliente
10 tomates deshidratados, colados
4 corazones de alcachofa en conserva, escurridos y cortados en 4
4 pimientos deshidratados, colados, cortados en cuartos
10 hojas de albahaca, finamente rebanadas
60g de queso fontina, rallado
40g de queso parmesano, rallado

Preparación

1 Calentar el aceite de oliva y saltear el poro, los chalotes y el ajo hasta que estén suaves, aproximadamente 5 minutos.

2 Agregar el arroz y revolver para bañarlo con el aceite, verter el vino y revolver hasta que se absorba. Verter 1 taza del caldo caliente a la mezcla del arroz y cocer, revolviendo constantemente hasta que el líquido se absorba. Repetir con otra taza del caldo. Agregar los tomates y los pimientos deshidratados y las alcachofas, continuar añadiendo el caldo.

3 Con la última taza del caldo añadir la albahaca y el queso fontina, cocer durante 2 minutos más. Retirar del fuego y revolver muy bien. Decorar con el queso parmesano y hojas extra de albahaca, servir de inmediato. **Porciones 4**

RISOTTO A LA MEXICANA

Ingredientes

2 cucharadas de aceite de oliva
1 chile rojo pequeño, finamente picado
2 dientes de ajo, finamente picados
2 cebollas, rebanadas
2 tazas de arroz Arborio o de grano corto
½ taza de calabaza amarilla, cortada en trozos
1l de caldo de verduras, caliente
1 apio, picado
2 tomates, picados
1 pimiento rojo, picado
6 cebollas de cambray, picadas
100g de almendras fileteadas, tostadas
100g de pasas
50g de semillas de calabaza
⅓ taza de salsa taquera
½ taza de perejil, picado

Preparación

1 En una cacerola calentar el aceite de oliva, añadir el chile, el ajo y la cebolla. Saltear durante 5 minutos hasta que estén suaves sin que lleguen a dorar.

2 Añadir el arroz y revolver para bañarlo con el aceite. Agregar la calabaza y revolver bien.

3 Verter una taza del caldo, revolver hasta que todo el líquido se haya absorbido. Verter otra taza del caldo junto con el apio y los tomates, revolver constantemente hasta que todo el líquido se haya absorbido. Continuar añadiendo el resto del caldo de la misma manera, revolviendo bien después de cada adición. Cuando todo el caldo se haya absorbido retirar la cacerola del fuego y añadir el pimiento, las cebollas de cambray, las almendras, las pasas, las semillas de calabaza y la salsa taquera. Revolver muy bien y servir de inmediato, decorar con el perejil. **Porciones 4**

RISOTTO PRIMAVERA

Ingredientes

- 2 tallos de apio, finamente picados
- 2 zanahorias medianas, finamente picadas
- 2 calabacitas italianas medianas, finamente picadas
- ½ manojo de espárragos, finamente picados
- ½ taza de perejil, picado
- 1 cucharadita de aceite de oliva
- 1 diente de ajo, finamente picado
- 1 cebolla pequeña, finamente picada
- 2 tazas de arroz Arborio o de grano corto
- ¾ taza de vino
- 3½ tazas de caldo de verduras, caliente
- 1 cucharada de yogur
- 40g de queso parmesano, rallado
- 2 elotes amarillos

Preparación

1. En un tazón colocar todas las verduras picadas finamente junto con el perejil, mezclar bien. En una cacerola calentar el aceite de oliva, añadir el ajo y la cebolla, saltear hasta que estén suaves. Agregar la mitad de la mezcla de las verduras y revolver.
2. Añadir el arroz y mezclar para bañarlo con el aceite. Verter el vino y revolver hasta que el líquido se absorba. Cuando todo el vino se haya absorbido verter 1 taza del caldo caliente a la mezcla del arroz y cocer, revolviendo constantemente, hasta que todo el líquido se absorba. Continuar añadiendo todo el caldo de la misma manera hasta que el arroz esté suave.
3. Junto con la última adición del caldo añadir el resto de las verduras y revolver bien. Cuando todo el caldo se haya añadido y absorbido, retirar del fuego, añadir el yogur y el queso parmesano.
4. Desgranar las mazorcas de elote y mezclar los granos con el risotto. Servir en platos individuales decorados con queso parmesano extra y espárragos al vapor. **Porciones 4**

TORRE DE RISOTTO CON TOMATE

Ingredientes

2 cucharadas de aceite de oliva
1 cebolla, picada
1½ tazas de arroz Arborio o de grano corto
400g de tomates de lata, colados, machacados
1 cucharada de pasta de tomate
3 tazas de caldo de verduras, caliente
½ taza de albahaca
60g de mantequilla
80g de queso parmesano, rallado
Pimienta negra recién molida

Preparación

1 En una cacerola grande calentar el aceite, añadir la cebolla y saltear a fuego medio durante 8 minutos o hasta que esté dorada. Incorporar el arroz y cocer durante 2 minutos más.

2 Agregar los tomates, la pasta de tomate y 1 taza del caldo, cocinar revolviendo frecuentemente, hasta que el líquido se absorba. Continuar añadiendo el resto del caldo de la misma manera hasta que se absorba y el arroz esté suave.

3 Precalentar el horno a 200 °C. Engrasar cuatro moldes. Picar ¾ de la albahaca, añadirla al arroz junto con la mantequilla, el queso parmesano y la pimienta negra. Colocar el arroz en los moldes, tapar y hornear de 10 a 15 minutos. Dejar reposar de 5 a 10 minutos antes de voltear y servir. Decorar con el resto de las hojas de albahaca. **Porciones 4**

RISOTTO DE VERDURAS ASADAS CON PESTO

Ingredientes

1 cebolla morada grande
1 pimiento rojo
1 pimiento amarillo
1 manojo de espárragos
3 cucharadas de aceite de oliva
2 dientes de ajo, finamente machacados
4 cebollas de cambray, picadas
2 tazas de arroz Arborio o de grano corto
¾ taza de vino blanco
3½ tazas de caldo de verduras, caliente
50g de queso parmesano, rallado
2 cucharadas de crema agria
Pimienta negra recién molida
⅓ taza de pesto

Preparación

1 Precalentar el horno a 240 °C. Cortar la cebolla en cuartos, retirar las semillas de los pimientos y cortarlos en trozos grandes. Cortar los espárragos en trozos. Mezclar todas estas verduras junto con 2 cucharadas del aceite de oliva y asar durante 30 minutos, revolver una vez.

2 Mientras, comenzar el risotto. En una cacerola calentar el resto del aceite de oliva, añadir el ajo y las cebollas de cambray. Agregar el arroz y revolver para mezclar. Verter el vino blanco y revolver hasta que se absorba. Verter 1 taza del caldo caliente a la mezcla del arroz y cocer, revolviendo constantemente, hasta que el líquido se absorba. Continuar cociendo de la misma manera hasta usar todo el caldo.

3 Junto con la última taza del caldo añadir las verduras asadas con su jugo y revolver para mezclar. Agregar el queso parmesano, la crema agria y la pimienta negra, servir de inmediato con una cucharada de pesto y queso parmesano rallado extra. **Porciones 4**

TORRE DE RISOTTO CON TOMATE

RISOTTO ASIÁTICO DE CHAMPIÑONES Y AJONJOLÍ

Ingredientes

15g de hongos kikurage deshidratados
15g de hongos shiitake deshidratados
1 cucharada de aceite de oliva
1 cucharada de aceite de ajonjolí
2 cebollas brown, rebanadas
1 diente de ajo, finamente picado
3 cucharadas de semillas de ajonjolí
2 tazas de arroz Arborio o de grano corto
⅓ taza de vino de arroz chino
3½ tazas de caldo de verduras, caliente
150g de champiñones ostra, frescos
100g de germen de soya
20g de hojas de albahaca tailandesa, picadas
2 cucharadas de salsa de soya

Preparación

1 En agua hirviendo sumergir los hongos kikurage y los hongos shiitake durante 30 segundos. Colar.

2 En una cacerola calentar los aceites, añadir las cebollas, el ajo y las semillas de ajonjolí. Saltear hasta que las semillas estén doradas y las cebollas estén suaves.

3 Agregar el arroz y revolver para cubrirlo con el aceite. Añadir el vino de arroz y revolver hasta que se absorba. Verter 1 taza del caldo junto con los hongos remojados y colados. Revolver constantemente hasta que el líquido se absorba. Continuar añadiendo 1 taza del caldo a la vez, revolviendo bien con cada adición. Junto con la última taza del caldo agregar los champiñones ostra y el germen de soya, cocinar durante 2 minutos más.

4 Retirar la cacerola del fuego, añadir la albahaca y la salsa de soya. Servir de inmediato, esparcir semillas de ajonjolí extra. **Porciones 4**

RISOTTO TRICOLOR

Ingredientes

2 pimientos rojos
2 pimientos amarillos
2 pimientos verdes
2 cucharadas de aceite de oliva
4 dientes de ajo, finamente picados
2 tazas de arroz Arborio o de grano corto
½ taza de vino blanco seco
3½ tazas de caldo de verduras, caliente
40g de mantequilla
½ taza de perejil
Pimienta negra recién molida

Preparación

1 Cortar los pimientos en tiras de 5 mm de grosor.

2 En una cacerola calentar el aceite, saltear ligeramente el ajo. Añadir los pimientos y continuar salteando durante 5 minutos más. Añadir el arroz y revolver para bañarlo con el aceite. Verter el vino y dejar que el líquido se absorba.

3 Verter 1 taza del caldo caliente a la mezcla del arroz, cocer revolviendo constantemente hasta que el líquido se absorba. Continuar cociendo de la misma manera hasta utilizar todo el caldo y que el arroz esté suave.

4 Retirar el risotto del fuego y añadir la mantequilla, el perejil y la pimienta negra. Revolver bien y servir de inmediato. **Porciones 4**

RISOTTO DE LAS ANTILLAS CON CAMOTE Y CREMA AGRIA PICANTE

Ingredientes

500g de camote, pelado, picado
250g de calabaza, pelada, picada
2 cucharadas de aceite de oliva
2 cebollas, finamente picadas
1 zanahoria, finamente picada
2 tallos de apio, finamente picados
2 dientes de ajo, machacados
1 cucharadita de pasta de curry verde
2 tazas de arroz Arborio o de grano corto
¾ taza de vino blanco
2 hojas de laurel
3 tazas de caldo de verduras, caliente
½ taza de crema agria
¼ cucharadita de canela molida
¼ cucharadita de cilantro molido
¼ cucharadita de comino molido
½ manojo de cebollín, finamente picado

Preparación

1 En una cacerola colocar el camote y la calabaza, cubrir con agua, dejar que suelte el hervor, hervir a fuego lento durante 30 minutos hasta que las dos verduras estén suaves. Colar, machacar y reservar.

2 En una cacerola grande calentar el aceite, añadir las cebollas, la zanahoria, el apio, el ajo y la pasta de curry. Saltear hasta que las cebollas estén suaves, aproximadamente 10 minutos.

3 Agregar el arroz y cocer a fuego medio, revolviendo constantemente, durante 3 minutos o hasta que el arroz esté transparente. Verter el vino y revolver hasta que se absorba. Agregar las hojas de laurel, la calabaza y el camote machacados junto con 1 taza del caldo, revolver constantemente hasta que el líquido se absorba. Continuar añadiendo el resto del caldo de la misma manera hasta que el arroz esté suave. Retirar la cacerola del fuego.

4 En un tazón pequeño batir la crema con las especias. Para servir, retirar las hojas de laurel, colocar el risotto en tazones individuales, decorar con una cucharada grande de crema y esparcir con el cebollín. **Porciones 4**

RISOTTO ITALIANO CON CHAMPIÑONES

Ingredientes

90g de mantequilla
1 cebolla, finamente picada
1 diente de ajo, machacado
250g de champiñones, rebanados
2 tazas de arroz Arborio o de grano corto
½ taza de vino blanco seco
1 cucharada de pasta de tomate
1¼ tazas de caldo de verduras, caliente
40g de queso parmesano

Preparación

1 En una sartén colocar la mantequilla, añadir la cebolla y el ajo, saltear hasta que la cebolla esté dorada. Añadir los champiñones y saltear a fuego lento durante 2 minutos.

2 Agregar el arroz a la sartén, saltear a fuego medio revolviendo constantemente, durante 3 minutos o hasta que el arroz esté transparente. Añadir el vino y la pasta de tomate, revolver hasta que se absorba. Verter 1 taza del caldo a la mezcla del arroz y cocer revolviendo constantemente, hasta que el líquido se absorba. Continuar cociendo de la misma manera hasta agregar todo el caldo.

3 Retirar del fuego, añadir el queso parmesano y revolver con un tenedor. **Porciones 4**

RISOTTO CON HONGOS PORCINI

Ingredientes

30g de hongos porcini secos
2 cucharadas de aceite de oliva
20g de mantequilla
1 poro mediano, la parte blanca, rebanado
½ taza de perejil, picado
1 diente de ajo grande, finamente picado
2 tazas de arroz Arborio o de grano corto
½ taza de vino tinto
2 cucharadas de pasta de tomate
250g de champiñones mixtos (shiitake, ostra, portobello)
3 tazas de caldo de verduras, caliente
40g de queso parmesano, rallado

Preparación

1 Remojar los hongos porcini en 3 tazas de agua hirviendo durante 30 minutos mínimo. Con una muselina (tela fina y transparente) colar el líquido de cocción de los hongos para retirar la tierra. Reservar el líquido de cocción. Limpiar los hongos remojados y picar, desechar los tallos.

2 Mientras, en una cacerola grande calentar el aceite y la mantequilla, saltear el poro, el perejil y el ajo hasta que estén transparentes.

3 Añadir el arroz, revolver para cubrirlo con el aceite, verter el vino y revolver hasta que se absorba. Agregar los hongos remojados, la pasta de tomate y los champiñones mixtos rebanados. Mezclar el líquido de cocción de los hongos con el caldo, verter 1 taza del caldo caliente al arroz, revolver constantemente, hasta que el líquido se absorba. Continuar cociendo de la misma manera hasta utilizar todo el caldo y que el arroz esté suave.

4 Retirar del fuego, agregar el queso parmesano y servir de inmediato. **Porciones 4**

ARROZ HERVIDO EN HOJAS DE PLÁTANO

Ingredientes

2 tazas de arroz glutinoso de grano largo

1 taza de crema de coco

4 hojas de plátano cuadradas de 30cm

220g de filetes de pechuga de pollo, sin piel, rebanados

4 chalotes (parecidos al ajo, pero con dientes más grandes), picados

3 chiles rojos, picados

8cm de jengibre, finamente rallado

Preparación

1 Remojar el arroz durante la noche anterior. Colar, y enjuagar bajo el chorro de agua fría hasta que el agua salga limpia. En una cacerola colocar el arroz con el agua justa para cubrirlo. Tapar la cacerola con una tapa ajustada y cocer a fuego medio durante 20 minutos o hasta que el agua se absorba.

2 Pasar el arroz a un platón, revolver con un tenedor. Incorporar la crema de coco y dejar reposar durante 10 minutos.

3 Repartir la mitad del arroz entre las hojas de plátano. Esparcir el arroz de manera uniforme, colocar encima el pollo, los chalotes, los chiles y el jengibre. Cubrir con el resto del arroz y doblar las hojas de plátano para encerrar el arroz.

4 En un wok colocar agua hasta la mitad, dejar que suelte el hervor. Colocar los paquetes de arroz en una vaporera, tapar y cocer al vapor en el wok durante 10 minutos. Porciones 4

El arroz blanco glutinoso puede ser de grano largo o medio, algunas veces se le llama arroz dulce o pegajoso. Para platillos con sabor fuerte, como éste, los cocineros tailandeses usan la variedad de grano largo. El arroz glutinoso de grano medio se usa principalmente para hacer postres. También puedes usar arroz negro glutinoso.

ARROZ PICANTE CON TOMATE Y VERDURAS

Ingredientes

1 cucharada de aceite de oliva

1 cebolla, rebanada

1 pimiento verde, picado

1 chile rojo, sin semillas, finamente picado

¾ taza de arroz de grano largo

¾ taza de arroz integral precocido

400g de tomates de lata, sin colar, picados

1½ tazas de caldo de verduras

Pimienta negra recién molida

Preparación

1 En una cacerola grande calentar el aceite. Saltear la cebolla, el pimiento y el chile de 3 a 4 minutos. Añadir los arroces, mezclar bien y cocinar de 3 a 4 minutos.

2 Agregar los tomates a la cacerola junto con el caldo. Dejar que suelte el hervor y cocinar a fuego lento durante 30 minutos o hasta que el líquido se absorba y el arroz esté suave. Sazonar con pimienta. Porciones 4

SUFLÉ DE BRÓCOLI CON ARROZ

Ingredientes

90g de brócoli, en racimos
10g de mantequilla
½ cebolla pequeña, picada
1½ tazas de harina común
⅔ taza de leche, caliente
¼ cucharadita de nuez moscada molida
Pimienta negra recién molida
2 huevos, separados
40g de queso cheddar, rallado
½ taza de arroz de grano medio, cocido

Preparación

1 Precalentar el horno a 280 °C y engrasar cuatro recipientes del tamaño de ¾ de taza. Cocer el brócoli al vapor hasta que esté suave, refrescar bajo el chorro de agua fría y reservar.

2 En una cacerola pequeña derretir la mantequilla, agregar la cebolla y saltear durante 2 minutos. Añadir la harina y cocinar, moviendo constantemente, durante 2 minutos más. Retirar la cacerola del fuego e incorporar gradualmente la leche caliente. Devolver la cacerola al fuego y cocer, revolviendo constantemente, durante 5 minutos o hasta que la salsa hierva y espese. Incorporar la nuez moscada y la pimienta negra al gusto.

3 Incorporar las yemas de huevo a la salsa, añadir el brócoli, el queso, el arroz y mezclar bien.

4 En un tazón grande batir las claras de huevo hasta que formen picos suaves. Añadir un cuarto de las claras de huevo a la mezcla, después incorporar el resto de las claras. Repartir la mezcla del suflé en los recipientes y hornear durante 25 minutos o hasta que esté esponjado y dorado. Servir de inmediato. **Porciones 4**

Para lograr que el suflé suba más, las claras de huevo deben estar a temperatura ambiente antes de batirlas. Las claras para el suflé deben batirse hasta que estén firmes sin que lleguen a secarse.

ARROZ FRITO CHINO

Ingredientes

125g de langostinos, pelados, sin vena
¼ cucharadita de sal
1 cucharada de maicena
2 cucharaditas de agua
⅓ taza de aceite
75g de pollo cocido, en cubos
60g de jamón cocido, en cubos
½ taza de chícharos
1 taza de germen de soya
3 tazas de arroz de grano largo, cocido
2 cebollas de cambray, picadas
1 cucharada de jerez seco
1 cucharada de salsa de soya

Preparación

1 Picar los langostinos. Mezclar la sal, la maicena y el agua, cubrir los langostinos con la mezcla. Reservar durante 30 minutos.

2 Calentar un wok, y añadir la mitad del aceite. Agregar los langostinos y cocer durante unos minutos, revolviendo constantemente. Con una cuchara coladora retirar los langostinos, limpiar el wok y recalentar. Agregar el resto del aceite, añadir el pollo, los chícharos, el jamón y los langostinos, freír revolviendo durante 1 minuto.

3 Agregar el germen de soya, el arroz, las cebollas de cambray, el jerez y la salsa de soya. Revolver durante unos minutos hasta que el arroz esté bien caliente. Servir en un platón caliente. **Porciones 4**

ROLLOS DE COL

Ingredientes

8 hojas de col, grandes
½ taza de jugo de naranja
400g de tomates de lata, picados

Relleno

⅔ taza de arroz de grano largo, cocido
60g de almendras, picadas
4 cebollas de cambray, picadas
2 dientes de ajo, machacados
1 huevo, ligeramente batido
60g de queso cheddar, rallado
2 chiles rojos, sin semillas, picados
1 cucharadita de semillas de eneldo
Pimienta negra recién molida

Preparación

1 Precalentar el horno a 180 °C. Retirar los tallos gruesos de las hojas de col, cocer las hojas al vapor hasta que se marchiten. Colar y reservar.

2 Para hacer el relleno, mezclar en un tazón el arroz, las almendras, las cebollas de cambray, el ajo, el huevo, el queso, el chile, las semillas de eneldo y la pimienta negra. Repartir el relleno entre las hojas, doblar los lados de las hojas y enrollar para formar rollos. En un recipiente para horno colocar los rollos, uno junto al otro.

3 Mezclar el jugo de naranja y los tomates, verter sobre los rollos, tapar y cocer durante 30 minutos. **Porciones 4**

ARROZ FRITO CHINO

ARROZ CON AJO, PASAS Y PIÑONES

Ingredientes

2 cucharadas de aceite de oliva
1 cebolla grande, picada
4 dientes de ajo, finamente picados
1½ tazas de arroz de grano largo
¼ taza de piñones
400g de tomates de lata, picados
½ cucharadita de azúcar
1 cucharadita de sal
¼ cucharadita de pimienta negra
½ taza de pasitas
¼ taza de perejil, picado
¼ taza de menta, picada

Preparación

1 En una cacerola grande de base gruesa calentar el aceite, freír ligeramente la cebolla hasta que tome un color dorado pálido. Agregar el ajo y revolver durante 1 minuto. Añadir el arroz y los piñones, revolver para bañar con el aceite y que tomen un poco de color.

2 Agregar los tomates picados, sazonar con azúcar, sal y pimienta, añadir 1 taza de agua caliente.

3 Incorporar el resto de los ingredientes y dejar que suelten el hervor. Bajar el fuego y hervir a fuego medio durante 15 minutos, revolviendo ocasionalmente durante la cocción. Apagar el fuego, tapar bien y dejar reposar durante 5 minutos antes de servir. Revolver con un tenedor, servir decorado con ramitas de menta.
Porciones 4

ARROZ PILAF CON LENTEJAS

Ingredientes

1 taza de arroz de grano largo
200g de lentejas
¼ taza de aceite vegetal
2 cucharaditas de garam masala (mezcla de especias aromáticas de la cocina hindú)
1 cucharadita de comino molido
1 cucharadita de cilantro molido
3 cebollas, rebanadas

Preparación

1 En una cacerola grande hervir agua. Agregar el arroz y las lentejas, reducir el fuego y hervir a fuego lento durante 15 minutos o hasta que estén suaves, colar y reservar.

2 En una sartén calentar 2 cucharadas del aceite a fuego medio, añadir el garam masala, el comino y el cilantro, saltear revolviendo durante 2 minutos. Añadir la mezcla del arroz y las lentejas, cocinar revolviendo durante 4 minutos más. Retirar del fuego, reservar y mantener caliente.

3 Calentar el resto del aceite en otra sartén, añadir las cebollas y saltear, revolviendo, durante 6 minutos o hasta que estén suaves y doradas. Colocar las cebollas sobre el arroz. Servir caliente o a temperatura ambiente.
Porciones 4

ARROZ PILAF DE VERDURAS MIXTAS

Ingredientes

¼ taza de aceite de oliva
2 berenjenas, en cubos de 1cm
1 cebolla, rebanada
400g de tomates de lata, colados, machacados
¼ taza de perejil, picado
¼ taza de menta, picada
2 tazas de arroz de grano largo
1l de caldo de verduras

Preparación

1 En una sartén grande de base gruesa calentar el aceite, añadir la berenjena y saltear, revolviendo frecuentemente, durante 5 minutos o hasta que esté ligeramente dorada. Retirar de la sartén y escurrir sobre papel absorbente.

2 Añadir la cebolla a la sartén y saltear de 4 a 5 minutos o hasta que esté suave. Incorporar los tomates, el perejil, la menta y la berenjena, saltear, revolviendo frecuentemente, durante 5 minutos. Agregar el arroz y el caldo, dejar que suelte el hervor. Reducir el fuego, tapar y cocinar a fuego lento durante 30 minutos o hasta que el arroz esté suave. Dejar reposar durante 10 minutos antes de servir. **Porciones 4**

TERRINA DE ARROZ

Ingredientes

20g de mantequilla
1 cebolla mediana, picada
3 tazas de arroz de grano largo, cocido
¾ taza de leche
3 huevos
½ cucharadita de sambal oelek (condimento elaborado con pimientos y chiles)
100g de queso parmesano, rallado
¼ taza de perejil, picado
Pimienta negra recién molida
2 pimientos rojos, en cuartos

Preparación

1 Precalentar el horno a 180 °C. Engrasar ligeramente un molde de 11 x 21 cm. En una sartén derretir la mantequilla, añadir la cebolla y saltear de 4 a 5 minutos o hasta que esté suave. Retirar la sartén del fuego y reservar.

2 En un tazón colocar el arroz, la leche, los huevos, el sambal oelek, el queso parmesano, la pimienta negra y las cebollas cocidas, revolver bien para mezclar.

3 Colocar un tercio de la mezcla en el molde, poner los trozos del pimiento encima. Repetir las capas terminando con una capa de arroz. Hornear de 35 a 40 minutos. Dejar reposar durante 10 minutos antes de desmoldar. Servir caliente, tibia o fría. **Porciones 4**

TRIÁNGULOS DE ARROZ Y QUESO

Ingredientes

30g de mantequilla

2 tazas de arroz Arborio o de grano corto

1l de caldo de verduras, caliente

Pimienta negra recién molida

200g de queso azul suave

½ taza de crema agria

1 manojo pequeño de cebollín, picado

Preparación

1. Precalentar el horno a 180 °C y engrasar ligeramente un recipiente para horno. En una cacerola a fuego medio derretir la mantequilla, añadir el arroz y freír, revolviendo constantemente, durante 4 minutos o hasta que el arroz esté transparente. Agregar 1 taza del caldo caliente y revolver hasta que el líquido se absorba. Continuar cociendo de la misma manera hasta usar todo el caldo y que el arroz esté suave. Sazonar con pimienta negra. Esparcir la mezcla sobre la base del recipiente engrasado.
2. En un tazón mezclar el queso, la crema agria y el cebollín. Extender la mezcla sobre el arroz y hornear durante 20 minutos o hasta que esté firme y dorada. Cortar en triángulos grandes. Servir con ensalada. Porciones 4

PASTA CREMOSA CON POROS Y CALABACITAS ITALIANAS

Ingredientes

275g de pasta en espiral
1 poro grande, rebanado, lavado
50g de chícharos
4 tomates bola
25g de mantequilla
1 diente de ajo, machacado
2 calabacitas italianas, en mitades, rebanadas
¾ taza de crème fraîche o crema fresca
1 cucharada de puré de tomate
¼ taza de albahaca, picada
Pimienta negra recién molida
50g de queso parmesano, rallado

Preparación

1 En una cacerola grande hervir agua con sal, añadir la pasta y cocer durante 6 minutos. Añadir el poro y los chícharos, cocer durante 2 minutos más, hasta que la pasta esté suave y el centro firme (al dente), y que las verduras estén suaves. Colar bien.

2 Mientras, en un tazón colocar los tomates, cubrir con agua hirviendo y dejar reposar durante 30 segundos. Pelar y quitar las semillas, picar la pulpa y reservar. En una sartén grande calentar la mantequilla, agregar el ajo y las calabacitas. Freír durante 5 minutos, revolviendo frecuentemente, hasta que estén ligeramente dorados.

3 Reducir el fuego, incorporar la crème fraîche y el puré de tomate. Agregar los tomates picados, la albahaca y sazonar, hervir a fuego lento durante 5 minutos para calentar bien. Mezclar la pasta con los poros y los chícharos, verter la salsa encima y espolvorear el queso parmesano. **Porciones 4**

STORTELLI CON VERDURAS ASADAS

Ingredientes

4 tomates bola maduros
1 berenjena pequeña, en rebanadas gruesas
1 calabacita italiana, en rebanadas gruesas
1 pimiento rojo o amarillo, en rebanadas gruesas
2 cebollas moradas, en rebanadas gruesas
Sal y pimienta negra
⅓ taza de aceite de oliva extra virgen
2 dientes de ajo, machacados
24 hojas de albahaca, machacadas
350g de stortelli o fusilli
40g de queso parmesano

Preparación

1 Precalentar el horno a 200 °C. En un tazón colocar los tomates, cubrir con agua hirviendo. Dejar reposar durante 30 segundos, pelar, quitar las semillas y cortar en rebanadas gruesas.

2 En una charola para horno colocar los tomates, la berenjena, la calabacita, el pimiento y las cebollas. Sazonar y bañar con la mitad del aceite. Agitar un poco para cubrir las verduras con el aceite, hornear durante 40 minutos o hasta que estén suaves y ligeramente doradas. Mezclar el resto del aceite, el ajo y la albahaca.

3 En una cacerola grande hervir agua con sal, agregar la pasta y cocer durante 8 minutos o hasta que esté suave y el centro firme (al dente). Colar, revolver con la mezcla de la albahaca, servir en 4 platos calientes y colocar encima las verduras asadas. Servir el queso parmesano aparte. **Porciones 4**

Si no puede encontrar stortelli, puede sustituirlo con cualquier otro tipo de pasta tubular.

PENNE CON PIMIENTOS Y QUESO MASCARPONE

Ingredientes

2 cucharadas de aceite de oliva
1 diente de ajo, machacado
2 cebollas moradas, picadas
1 pimiento rojo, en trozos de 1cm
1 pimiento amarillo, en trozos de 1cm
1 pimiento verde, en trozos de 1cm
275g de penne
200g de queso mascarpone
Jugo de ½ limón amarillo
½ taza de perejil, picado
Pimienta negra recién molida

Preparación

1 En una sartén grande calentar el aceite, freír el ajo, las cebollas y los pimientos durante 10 minutos, revolviendo frecuentemente, o hasta que las verduras estén suaves.

2 Mientras, en una cacerola grande hervir agua con sal, agregar la pasta y cocer durante 8 minutos o hasta que esté suave y el centro firme (al dente). Colar, reservar y mantener caliente.

3 Incorporar la mitad del queso mascarpone, el jugo de limón y el perejil a la mezcla de los pimientos, sazonar. Cocinar durante 5 minutos o hasta que el queso se derrita.

4 Agregar el resto del queso a la pasta, añadir la mezcla de los pimientos, mezclar. **Porciones 4**

LASAÑA VEGETARIANA

Ingredientes

180g de láminas de lasaña frescas
150g de queso cheddar, rallado

Salsa de tomate

1 cucharada de aceite de oliva
150g de champiñones, rebanados
1 cebolla pequeña, picada
1 diente de ajo, machacado
1 chile rojo, sin semillas, picado
2 calabacitas italianas, rebanadas
800g de tomates de lata, picados
⅓ taza de vino blanco
¼ taza de albahaca, picada
¼ taza de perejil, picado

Salsa de espinacas

250g de espinacas, picadas
250g de queso ricotta, desmenuzado
1 huevo, ligeramente batido
Pimienta negra recién molida

Salsa bechamel

50g de mantequilla
¼ taza de harina
1 ¾ taza de leche
1 cucharadita de pimienta blanca

Preparación

1 Para hacer la salsa de tomate, en una sartén calentar el aceite a fuego medio, añadir los champiñones, la cebolla, el ajo y el chile, saltear revolviendo durante 5 minutos o hasta que la cebolla esté ligeramente suave. Agregar las calabacitas, los tomates y el vino, dejar que suelte el hervor, reducir el fuego y hervir a fuego lento durante 15 minutos. Agregar la albahaca y el perejil, reservar.

2 Para hacer la salsa de espinacas, en un tazón colocar todos los ingredientes, mezclar y reservar.

3 Para hacer la salsa bechamel, en una cacerola derretir la mantequilla a fuego medio, incorporar la harina y cocer, revolviendo durante 1 minuto. Retirar la cacerola del fuego y verter la leche. Regresar la cacerola al fuego, revolviendo durante 5 minutos o hasta que la salsa hierva y espese. Sazonar con la pimienta blanca.

4 Precalentar el horno a 180 °C, engrasar ligeramente un recipiente para horno. Forrar la base del recipiente con un tercio de las láminas de lasaña, cortar si es necesario para ajustar el tamaño. Colocar encima la mitad de la salsa de tomate, la mitad del resto de las láminas, el resto de la salsa de tomate y el resto de las láminas.

5 Esparcir la salsa de espinacas sobre la lasaña, verter encima la salsa bechamel y espolvorear el queso cheddar. Hornear de 30 a 40 minutos o hasta que la mezcla esté caliente, y la parte superior esté dorada. **Porciones 4**

LINGUINE DE CHAMPIÑONES

Ingredientes

500g de champiñones mixtos, como shiitake, ostra, setas
20g de mantequilla
2 dientes de ajo, machacados
½ taza de vino blanco
2 ramitas de hojas de tomillo, hojas separadas, sin tallos
1 cucharadita de pimienta negra recién molida
500g de linguine o fetuccine

Preparación

1 Saltear los champiñones en la mantequilla junto con el ajo, agregar el vino blanco, el tomillo y la pimienta negra. Cocinar durante unos minutos hasta que se mezclen.

2 En una cacerola grande hervir agua con sal, añadir la pasta y cocer durante 8 minutos o hasta que esté suave y el centro firme (al dente). Colar, repartir en cuatro tazones para servir y colocar encima la mezcla de los champiñones. **Porciones 4**

LASAÑA VEGETARIANA

CANELONES CON SALSA DE ESPINACAS

Ingredientes

125g de canelones instantáneos
200g de queso mozzarella, rallado
50g de berros

Relleno

200g de queso fetta, desmenuzado
250g de queso ricotta, colado
60g de nueces, picadas
4 cebollas de cambray, rebanadas
¼ taza de perejil, picado
¼ taza de menta, picada
ralladura de ½ limón amarillo
1 huevo, ligeramente batido
1 cucharada de jugo de limón
pimienta negra recién molida

Salsa de espinacas

20g de mantequilla
1 cebolla, picada
1 diente de ajo, machacado
400g de tomates de lata, sin colar
1 taza de caldo de verduras
1 manojo de espinacas

Preparación

1. Para hacer la salsa de espinacas, en una cacerola derretir la mantequilla a fuego medio, añadir la cebolla y el ajo, saltear durante 5 minutos, revolviendo hasta que la cebolla se suavice ligeramente. Incorporar los tomates, el caldo y las espinacas, hervir a fuego lento durante 15 minutos.
2. Mientras, hacer el relleno. En un tazón colocar los quesos, las nueces, las cebollas de cambray, el perejil, la menta, la ralladura de limón, el huevo, el jugo de limón y la pimienta negra, revolver bien para mezclar.
3. Engrasar ligeramente un recipiente para horno. Rellenar los canelones con el relleno y colocarlos en el recipiente, uno junto al otro.
4. Precalentar el horno a 180 °C. Verter la salsa sobre los canelones, tapar el recipiente y hornear durante 25 minutos. Retirar la tapa, espolvorear el queso mozarella y hornear de 10 a 15 minutos más o hasta que la superficie esté dorada. Decorar con los berros y servir. **Porciones 4**

PASTA PRIMAVERA

Ingredientes

50g de mantequilla
225g de espinacas baby
250g de chícharos
250g de habas
⅓ taza de crème fraîche o crema fresca
1 manojo de cebollas de cambray, finamente rebanadas
¼ taza de perejil, picado
Sal y pimienta negra
75g de queso parmesano, rallado
350g de penne

Preparación

1. En una cacerola derretir la mantequilla, añadir las espinacas, tapar y saltear durante 5 minutos o hasta que se marchiten. Reservar para dejar enfriar. En un poco de agua hirviendo con sal cocer los chícharos y las habas durante 5 minutos o hasta que estén suaves, colar.
2. En un procesador de alimentos colocar las espinacas y la crème fraîche, procesar hasta formar un puré. Colocar el puré en la cacerola e incorporar los chícharos y las habas. Añadir las cebollas de cambray y el perejil, sazonar y agregar la mitad del queso parmesano. Mantener caliente a fuego lento.
3. En una cacerola hervir agua con sal, agregar la pasta y cocer durante 8 minutos o hasta que esté suave y el centro firme (al dente). Colar, revolver con la salsa de espinacas. Servir con el resto del queso parmesano. **Porciones 4**

FETTUCCINE CON POROS

Ingredientes

500g de fettuccine
60g de mantequilla
2 poros grandes, en mitades, lavados, finamente rebanados
200g de jamón, cortado en tiras
1 pimiento rojo, cortado en tiras
1 taza de crema
Pimienta negra recién molida

Preparación

1 En una cacerola hervir agua con sal, añadir la pasta y cocer durante 8 minutos o hasta que esté suave y el centro firme (al dente). Colar, reservar y mantener caliente.

2 En una sartén grande calentar la mantequilla, saltear los poros de 8 a 10 minutos o hasta que estén suaves. Agregar el jamón y el pimiento, saltear de 2 a 3 minutos más. Incorporar la crema, dejar que suelte el hervor, reducir el fuego y cocinar a fuego lento de 4 a 5 minutos.

3 Añadir el fettuccine a la sartén y mezclar. Sazonar con pimienta negra y servir de inmediato. **Porciones 4**

HORNEADO DE PASTA CON COLIFLOR Y BRÓCOLI

Ingredientes

275g de coliflor, cortada en racimos pequeños
225g de brócoli, cortado en racimos pequeños
1 ¾ tazas de leche
50g de mantequilla
3 cucharadas de harina común, cernida
200g de queso cheddar, rallado
1 cucharada de mostaza de grano entero
Sal de mar y pimienta negra recién molida
375g de penne

Para cubrir

50g de pan molido fresco
2 cebollas de cambray, finamente picadas
25g de mantequilla, derretida

Preparación

1 En una cacerola con agua hirviendo colocar la coliflor, hervir a fuego lento, tapada, durante 4 minutos. Añadir el brócoli, tapar y hervir a fuego lento durante 2 minutos, colar bien.

2 Mientras, en una cacerola grande colocar la leche, la mantequilla y la harina, calentar ligeramente. Dejar que suelte el hervor lentamente, revolviendo, hasta que la mezcla espese. Cocer durante 2 minutos más, revolviendo constantemente. Incorporar ¾ del queso cheddar, la mostaza y sazonar, retirar del fuego y revolver hasta que el queso se derrita.

3 En una cacerola grande hervir agua con sal, añadir la pasta y cocer durante 8 minutos o hasta que esté suave y el centro firme (al dente). Colar y mezclar con las verduras. Agregar la salsa de queso, mezclar bien, pasar a un recipiente para horno.

4 Precalentar el horno a 200 °C. Mezclar todos los ingredientes para cubrir con el resto del queso cheddar y colocar sobre la pasta. Hornear de 15 a 20 minutos o hasta que la superficie esté dorada. **Porciones 4**

RIGATONI CON CALABAZA Y TOFU DE JENGIBRE

Ingredientes

300g de tofu firme (queso de soya)
4cm de jengibre, rallado
½ cucharadita de aceite de ajonjolí
2 cucharadas de salsa de soya
1 cucharadita de azúcar morena
1 cucharada de aceite de oliva
1 poro, finamente rebanado
500g de calabaza, pelada, picada
1 ramita de canela
1 taza de caldo de verduras reducido en sales
Pimienta negra recién molida
¼ taza de cilantro, picado
500g de rigatoni o tortiglioni
25g de piñones, tostados

Preparación

1. Cortar el tofu en rebanadas gruesas y colocar en un recipiente hondo. Mezclar el jengibre, el aceite de ajonjolí, la salsa de soya y el azúcar, batir hasta que el azúcar se disuelva. Verter sobre el tofu y dejar marinar mientras se preparan los demás ingredientes.
2. En una cacerola mediana calentar el aceite de oliva, añadir el poro y saltear a fuego medio hasta que esté suave y dorado. Agregar la calabaza y la canela, saltear hasta que la calabaza se suavice.
3. Agregar el caldo, dejar que suelte el hervor, tapar y hervir a fuego lento hasta que la calabaza esté tierna. Retirar la ramita de canela, pasar a la licuadora y licuar hasta que esté suave. Sazonar con pimienta negra e incorporar el cilantro.
4. En una cacerola grande hervir agua con sal, agregar la pasta y cocer durante 8 minutos o hasta que esté suave y el centro firme (al dente). Colar, reservar y mantener caliente.
5. Asar el tofu en una sartén de teflón a fuego medio hasta que esté dorado por ambos lados. Revolver el puré de calabaza con la pasta. Colocar encima el tofu caramelizado, los piñones y el cilantro extra. **Porciones 4**

ÑOQUI CON ESPINACAS, RÚCULA Y PESTO DE ALBAHACA

Ingredientes

600g de ñoqui
½ taza de espinacas baby
½ taza de rúcula baby
1 taza de albahaca
2 dientes de ajo
50g de piñones, tostados
40g de queso parmesano, rallado
2 cucharadas de aceite de oliva extra virgen
Pimienta negra recién molida

Preparación

1 En una cacerola con agua hirviendo rápidamente colocar los ñoquis y cocer hasta que floten en la superficie. Retirar con una cuchara coladora, y mantenerlos calientes.

2 Cocer al vapor las espinacas hasta que estén tiernas, colar y exprimir para eliminar el exceso de humedad.

3 En un procesador de alimentos colocar la espinaca, la rúcula, la albahaca, el ajo, los piñones y el queso parmesano, procesar hasta que se suavicen. Sin apagar el motor añadir gradualmente el aceite de oliva hasta que se forme una pasta suave.

4 Colocar el pesto sobre los ñoquis cocidos y revolver para mezclar. Sazonar con pimienta negra y decorar con queso parmesano extra. **Porciones 4**

TAGLIATELLE CON CALABAZA Y QUESO RICOTTA

Ingredientes

75g de mantequilla
1 cebolla, picada muy finamente
450g de calabaza amarilla, pelada, rebanada finamente
½ taza de leche
250g de queso ricotta
½ cucharadita de nuez moscada recién molida
Pimienta negra
500g de tagliatelle o tallarines
2 cucharadas de semillas de amapola
40g de queso parmesano, rallado

Preparación

1 En una cacerola grande de base gruesa calentar la mantequilla, añadir la cebolla y saltear ligeramente, durante 5 minutos o hasta que la cebolla se suavice sin que llegue a dorar. Agregar la calabaza y saltear durante 5 minutos más, revolviendo ocasionalmente, hasta que esté ligeramente suave. Incorporar 2 cucharadas de leche, hervir a fuego lento, durante 20 minutos, añadiendo el resto de la leche poco a poco hasta que la calabaza esté suave.

2 En un tazón machacar el queso ricotta, la nuez moscada y la pimienta.

3 En una cacerola grande hervir agua con sal, añadir la pasta y cocer de 2 a 3 minutos o hasta que esté suave y el centro firme (al dente). Colar, reservar una taza del líquido de cocción, mezclar la pasta con la mezcla de la calabaza.

4 Verter un poco del líquido reservado al queso ricotta sazonado hasta obtener una consistencia de cremosa. Servir la pasta en platos individuales calientes, poner encima el queso ricotta y espolvorear las semillas de amapola. Servir con el queso parmesano. **Porciones 4**

MACARRONES CON PAVO

Ingredientes

300g de macarrones
⅔ taza de crème fraîche o crema fresca
2 cucharaditas de azúcar morena
2 cucharaditas de jugo de limón amarillo
2 cucharaditas de salsa de soya
¼ taza de perejil, picado
Pimienta negra
2 cucharaditas de aceite vegetal
2 filetes de pechuga de pavo, sin piel, en tiras finas
2 cucharaditas de mostaza
1 zanahoria, en tiras finas
1 calabacita italiana, en tiras finas

Preparación

1 En una cacerola grande hervir agua con sal, añadir los macarrones y cocer durante 8 minutos o hasta que estén suaves y el centro firme (al dente). Colar, reservar y mantener caliente.

2 Mientras, mezclar la crème fraîche, el azúcar, el jugo de limón, la salsa de soya y el perejil. Sazonar, tapar y refrigerar.

3 En una cacerola grande de base gruesa o en un wok calentar el aceite. Añadir las tiras de pavo y la mostaza, saltear durante 5 minutos, volteando frecuentemente, hasta que la carne esté bien cocida y ligeramente dorada.

4 Agregar la zanahoria y la calabacita, saltear revolviendo durante 4 minutos o hasta que estén suaves y crujientes. Incorporar los macarrones y calentar bien, añadir la crème fraîche y calentar durante 1 minuto. Decorar con perejil extra. **Porciones 4**

ESPAGUETI INTEGRAL CON CUATRO QUESOS

Ingredientes

350g de espagueti integral
75g de mantequilla
50g de queso parmesano, rallado
75g de queso gruyer, en trozos
75g de queso bel paese, en trozos
125g de queso mozzarella, en trozos
Pimienta negra

Preparación

1 Precalentar el horno a 200 °C. En una cacerola grande hervir agua con sal, agregar la pasta y cocer de 10 a 12 minutos o hasta que esté suave y el centro firme (al dente). Colar, regresar a la cacerola y revolver con la mitad de la mantequilla y la mitad del queso parmesano. Agregar el queso gruyer, el bel paese, el mozzarella y suficiente pimienta, revolver bien.

2 Pasar la pasta y la mezcla del queso a un recipiente para horno previamente engrasado con mantequilla. Espolvorear el resto del parmesano. Hornear de 10 a 15 minutos o hasta que la superficie esté crujiente y dorada. Dejar reposar durante 5 minutos antes de servir. **Porciones 4**

HORNEADO DE QUESO Y VERDURAS

Ingredientes

Sal y pimienta negra
300g de brócoli, en racimos
2 calabacitas italianas, rebanadas
2 cucharaditas de aceite vegetal
200g de champiñones, rebanados
350g de macarrones
1 taza de crema espesa
100g de queso cheddar, rallado
200g de queso cottage
2 cucharaditas de mostaza de Dijon
3 cucharadas de pan molido seco

Preparación

1 En una cacerola hervir agua y añadir ½ cucharadita de sal, agregar el brócoli. Cocer durante 2minutos, agregar las calabacitas y cocer durante 2 minutos más o hasta que las verduras estén suaves. Colar y reservar.

2 En una sartén calentar el aceite, agregar los champiñones y saltear durante 5 minutos o hasta que estén suaves. Reservar.

3 En una cacerola grande hervir agua con sal, añadir la pasta y cocer durante 8 minutos o hasta que esté suave y el centro firme (al dente). Colar, reservar y mantener caliente.

4 Mientras, en una cacerola grande de base gruesa calentar la crema. Incorporar la mitad del queso cheddar, el queso cottage y la mostaza, sazonar con sal y pimienta. Cocer hasta que la salsa esté suave.

5 Precalentar el horno a 200 °C. Agregar las verduras cocidas, los champiñones y la pasta a la salsa, mezclar para asegurar que estén cubiertos. Pasar la mezcla a un recipiente para horno. Espolvorear encima el resto del queso y el pan molido. Hornear durante 20 minutos o hasta que el queso esté dorado. **Porciones 4**

ESPAGUETI INTEGRAL CON CUATRO QUESOS

RIGATONI CON MASCARPONE, TOMATE Y ALBAHACA

Ingredientes

500g de tomates maduros
50g de mantequilla
1 diente de ajo, machacado
2 cucharadas de puré de tomate
100g de queso mascarpone
½ cucharadita de chile en polvo
Sal
12 hojas de albahaca fresca, machacadas
400g de rigatoni o tortiglioni
60g de queso parmesano

Preparación

1 En un tazón colocar los tomates y cubrir con agua hirviendo. Dejar reposar durante 30 segundos, pelar, quitar las semillas y picar.

2 En una sartén grande de base gruesa añadir el ajo y saltear durante 1 minuto hasta que se suavice. Añadir los tomates y saltear de 2 a 3 minutos hasta que estén suaves, revolviendo ocasionalmente.

3 Agregar el puré de tomate, cocer durante 2 minutos, incorporar el mascarpone y dejar que suelte el hervor. Añadir el chile en polvo y la sal. Pasar la salsa a un platón, añadir la albahaca y mantener caliente.

4 En una cacerola hervir agua con sal, agregar la pasta y cocer durante 8 minutos o hasta que esté suave y el centro firme (al dente). Colar. Colocar la pasta en el platón, revolver bien, espolvorear con el queso parmesano. **Porciones 4**

STORTELLI CON PIMIENTO Y BERENJENA

Ingredientes

⅓ taza de aceite de oliva extra virgen
2 dientes de ajo, finamente rebanados
1 berenjena, pelada, cortada en cubos de 1cm
1 pimiento rojo, cortado en trozos de 1cm
1 pimiento amarillo, cortado en trozos de 1cm
400g de tomates de lata, picados
⅓ taza de vino blanco seco
Sal y pimienta negra
375g de stortelli o fusilli
8 ramitas de orégano, hojas separadas, picadas
12 aceitunas negras, sin hueso, rebanadas

Preparación

1 En una cacerola grande de base gruesa calentar todo el aceite excepto 1 cucharada. Añadir el ajo y saltear durante 1 minuto para que suelte el sabor. Agregar la berenjena y el pimiento, saltear sin tapar durante 5 minutos, revolviendo frecuentemente, o hasta que comiencen a dorar.

2 Añadir los tomates a la cacerola, cocinar de 4 a 5 minutos, revolviendo frecuentemente, hasta que el líquido se haya reducido ligeramente. Verter el vino, dejar que suelte el hervor y sazonar. Cocer parcialmente tapada durante 20 minutos o hasta que las verduras estén suaves.

3 En una cacerola grande hervir agua con sal, agregar la pasta y cocer durante 8 minutos o hasta que esté suave y el centro firme (al dente). Colar. Pasar a un platón caliente para servir, revolver con el resto del aceite y la mitad de la salsa. Servir encima el resto de la salsa, decorar con el orégano y las aceitunas. **Porciones 4**

Si no puede encontrar stortelli, puede sustituirlo con cualquier otro tipo de pasta tubular.

FETTUCCINE NELLO

Ingredientes

500g de fettuccine fresco
1 cucharada de aceite de oliva
1 pimiento rojo, finamente picado
3 dientes de ajo, machacados
Ralladura de ½ limón amarillo
2 cucharadas de alcaparras saladas, enjuagadas
¼ taza de perejil, picado
Pimienta negra recién molida
20g de mantequilla
Jugo de ½ limón amarillo

Preparación

1 En una cacerola grande hervir agua con sal, añadir la pasta y cocer de 2 a 3 minutos o hasta que esté suave y el centro firme (al dente). Colar, reservar y mantener caliente.

2 Para hacer la salsa, en una cacerola calentar el aceite a fuego medio, añadir el pimiento y saltear, revolviendo, durante 3 minutos. Agregar el ajo y la ralladura de limón, saltear durante 2 minutos más. Agregar las alcaparras, el perejil y la pimienta negra, saltear durante 2 minutos más, incorporar la mantequilla. Retirar del fuego y añadir el jugo de limón. Servir la salsa sobre la pasta y revolver para mezclar. **Porciones 4**

FUSILLI CON PIMIENTOS Y TOMATES DESHIDRATADOS

Ingredientes

1 pimiento amarillo grande
1 pimiento rojo grande
⅓ taza de aceite de oliva extra virgen
2 chalotes (parecido al ajo, pero con dientes más grandes), finamente picados
1 diente de ajo, finamente picado
1 cucharadita de hojuelas de chile
⅓ taza de caldo de verduras
125g de tomates deshidratados en aceite, colados, picados
2 cucharadas de alcaparras saladas, enjuagadas
2 cucharadas de vinagre balsámico
8 ramitas de orégano, hojas separadas, picadas

Preparación

1 Precalentar el horno a 230 °C. En un refractario colocar los pimientos y saltear durante 30 minutos o hasta que estén suaves. Dejar enfriar durante 10 minutos, pelar, quitar las semillas y picar.

2 En una cacerola de base gruesa calentar la mitad del aceite, añadir los chalotes y saltear durante 5 minutos o hasta que estén suaves. Agregar el ajo, el chile y 2 cucharadas del caldo, cocer durante 5 minutos, añadir los pimientos y los tomates deshidratados, cocer durante 10 minutos más, añadiendo más caldo si la salsa comienza a secarse. Incorporar las alcaparras y el vinagre, cocer durante 1 minuto.

3 En una cacerola grande hervir agua con sal, agregar la pasta y cocer durante 8 minutos o hasta que esté cocida y el centro firme (al dente). Colar, revolver con el resto del aceite. Añadir la salsa y revolver de nuevo, servir a temperatura ambiente, decorar con el orégano. **Porciones 4**

LASAÑA DE EJOTES CON PESTO

Ingredientes

225g de ejotes
250g de laminas de lasaña frescas
250g de pesto
½ taza de crème fraîche o crema fresca
⅓ taza de aceite de oliva extra virgen
Pimienta negra recién molida
100g de nueces
40g de queso parmesano, rallado

Preparación

1 Precalentar el horno a 200 °C. Cocer los ejotes al vapor hasta que estén suaves, reservar.

2 En una cacerola grande hervir agua con sal, añadir la lasaña y cocer de 2 a 3 minutos o hasta que esté suave y el centro firme (al dente). Colar, enjuagar bajo el chorro de agua fría y colar de nuevo, secar con papel absorbente.

3 Mezclar el pesto, la crème fraîche, 3 cucharadas del aceite y suficiente pimienta. Con el resto del aceite engrasar ligeramente un recipiente para horno, forrar la base con las láminas de lasaña. Esparcir un poco de la mezcla del pesto, colocar encima una capa de ejotes y de nueces. Repetir las capas, terminando con la mezcla del pesto. Hornear de 10 a 15 minutos o hasta que esté dorada. Servir con queso parmesano.
Porciones 4

PASTA CON PESTO DE VERDURAS VERDES

Ingredientes

275g de gemelli o fusilli
150g de ejotes, en mitades
125g de brócoli, en racimos pequeños
1 calabacita italiana, en tiras finas

Pesto

1 taza de albahaca
1 diente de ajo, machacado
50g de queso parmesano, rallado
25g de nueces de la India
⅓ taza de aceite de oliva extra virgen
Sal de mar y pimienta negra recién molida

Preparación

1. Para hacer el pesto, en un procesador de alimentos colocar la albahaca, el ajo, el queso parmesano, las nueces de la India y el aceite de oliva, procesar hasta que esté suave. Sazonar al gusto y reservar.
2. Mientras, en una cacerola hervir agua con sal. Agregar la pasta y cocer durante 6 minutos. Añadir los ejotes y cocer durante 1 minuto, agregar el resto de las verduras y cocer durante 2 minutos más. Colar bien.
3. Regresar la pasta y las verduras a la cacerola e incorporar el pesto. Calentar ligeramente durante 1 minuto hasta que esté bien mezclada y caliente. Servir decorada con albahaca extra. **Porciones 4**

LASAÑA CON ESPINACAS, QUESO RICOTTA Y FONTINA

Ingredientes

500g de espinacas frescas
175g de láminas de lasaña
50g de mantequilla, derretida
40g de queso fontina, rallado
40g de queso parmesano, rallado
250g de queso ricotta
½ taza de crème fraîche o crema fresca
Nuez moscada recién molida
Sal y pimienta negra

Preparación

1. Enjuagar las espinacas, colocarlas en una cacerola sin retirar el exceso de agua. Tapar y cocer durante 5 minutos o hasta que estén marchitas. Colar, refrescar bajo el chorro de agua fría y exprimir el exceso de agua. Picar finamente.
2. En una cacerola grande hervir agua con sal, añadir la lasaña y cocer durante 8 minutos o hasta que esté suave y el centro firme (al dente). Colar y secar con papel absorbente.
3. Precalentar el horno a 200 °C. Con un poco de la mantequilla derretida engrasar un recipiente para horno de 30 x 20 cm. En un tazón mezclar las espinacas, el queso fontina, el parmesano, el ricotta, la crème fraîche, la nuez moscada, sal y pimienta.
4. Forrar la base del recipiente engrasado con las láminas de lasaña, esparcir encima 3 cucharadas de la mezcla de las espinacas. Repetir las capas hasta que se use toda la lasaña, no más de 6 capas. Terminar con el resto de la mezcla de las espinacas. Bañar con el resto de la mantequilla derretida, cocer de 20 a 30 minutos hasta que la superficie esté dorada. **Porciones 4**

PAPPARDELLE CON CHALOTES Y CHÍCHAROS

Ingredientes

100g de mantequilla

¾ taza de caldo de verduras

8 chalotes (parecidos al ajo, pero con dientes más grandes), picados

12 hojas de lechuga, picadas

300g de chícharos

Sal y pimienta negra

500g de pappardelle o tallarines

¼ taza de menta, picada

40g de queso parmesano, rallado

Preparación

1 En una cacerola pequeña de base gruesa colocar la mitad de la mantequilla, 2 cucharadas del caldo y los chalotes. Tapar y cocer durante 5 minutos o hasta que los chalotes estén suaves, revolviendo ocasionalmente. Agregar la lechuga y cocer, sin tapar, durante 2 minutos, revolviendo frecuentemente.

2 Añadir los chícharos y la mitad del resto del caldo a la cacerola, dejar que suelte el hervor, reducir el fuego y cocer, tapada, durante 7 minutos o hasta que los chícharos estén suaves. Verter un poco más de caldo si la salsa comienza a secarse. Sazonar al gusto.

3 En una cacerola grande hervir agua con sal, añadir la pasta y cocer de 2 a 3 minutos o hasta que esté suave y el centro firme (al dente). Colar, revolver con el resto de la mantequilla, servir sobre la salsa. Espolvorear la menta y servir con el queso parmesano. **Porciones 4**

CONCHIGLIE O CONCHAS CON ESPINACAS Y QUESO

Ingredientes

400g de pasta de conchas
½ manojo de espinacas, picadas
50g de mantequilla, más 50g de mantequilla derretida
1 ½ tazas de leche
100g de queso gruyer, rallado
50g de queso cheddar, rallado
Pimienta negra recién molida
¾ taza de pan molido seco
40g de queso parmesano, rallado

Preparación

1 En una cacerola grande hervir agua con sal, agregar la pasta y cocer durante 8 minutos o hasta que esté suave y el centro firme (al dente). Colar, reservar y mantener caliente.

2 Cocer las espinacas en agua hirviendo hasta que se marchiten. Colar, enfriar ligeramente y eliminar el exceso de agua. Añadir la pasta a las espinacas y revolver para mezclar.

3 En una cacerola derretir la mantequilla a fuego medio, incorporar la harina y cocinar, revolviendo, durante 1 minuto. Retirar la sartén del fuego, incorporar la leche y cocinar, revolviendo, durante 5 minutos o hasta que la salsa hierva y espese. Añadir los quesos y la pimienta negra. Verter la salsa sobre la pasta, pasar la mezcla a un recipiente para horno previamente engrasado con aceite.

4 Mezclar el pan molido, la mantequilla derretida y el queso parmesano, esparcir sobre la pasta. Hornear de 20 a 30 minutos o hasta que la salsa esté caliente y la superficie esté dorada. **Porciones 4**

ESPAGUETI CON SALSA NAPOLITANA DE TOMATE

Ingredientes

600g de tomates bola maduros
1 diente de ajo, finamente machacado
½ cebolla pequeña, finamente picada
2 cucharadas de caldo de verduras
Sal y pimienta negra
400g de espagueti
⅓ taza de aceite de oliva extra virgen
12 hojas de albahaca fresca, machacadas

Preparación

1 En un tazón colocar los tomates y cubrir con agua hirviendo. Dejar reposar durante 30 segundos, pelar, quitar las semillas y picar.

2 En una cacerola grande colocar el ajo, la cebolla, el caldo y 2 pizcas de sal, tapar y cocer ligeramente durante 5 minutos o hasta que la cebolla esté suave y el líquido se haya evaporado. Añadir los tomates, sazonar con pimienta, dejar que suelte el hervor y cocer durante 5 minutos o hasta que los tomates estén suaves. Añadir más sal si es necesario.

3 En una cacerola grande hervir agua con sal, agregar la pasta y cocer durante 8 minutos o hasta que esté suave y el centro firme (al dente). Colar, revolver con el aceite, añadir la salsa y revolver bien. Justo antes de servir decorar con las hojas de albahaca. **Porciones 4**

CONCHIGLIE O CONCHAS CON ESPINACAS Y QUESO

LASAÑA DE VERDURAS CON PESTO

Ingredientes

375g de láminas de lasaña fresca
50g de espinacas baby
4 tomates bola grandes, en rebanadas gruesas
6 quesos bocconcini grandes, en rebanadas gruesas
8 hojas de albahaca frescas

Pesto

2 dientes de ajo
25g de piñones, tostados
1 taza de albahaca fresca
40g de queso parmesano, rallado
2 cucharadas de aceite de oliva extra virgen

Preparación

1 Para hacer el pesto, en un procesador de alimentos picar el ajo, los piñones, la albahaca y el queso parmesano. Sin apagar el motor añadir gradualmente el aceite hasta obtener una pasta suave. Reservar.

2 Cortar las láminas de lasaña en doce cuadrados de 8 cm. En una cacerola grande hervir agua con sal, añadir la lasaña y cocer de 2 a 3 minutos o hasta que esté suave y el centro firme (al dente). Colar bien.

3 Colocar una lámina en el centro de cada plato, colocar encima dos hojas de espinaca, una rebanada de tomate y una de queso bocconcini, una cucharada de pesto y una hoja de albahaca fresca.

4 Colocar encima otra lámina de lasaña y repetir las capas, terminando con una lámina de lasaña. Cada plato debe tener dos repeticiones de capas. Colocar encima de cada pila una cucharada generosa de pesto, decorar con albahaca extra y servir de inmediato. **Porciones 4**

TAGLIATELLE CON SALSA DE ROMERO Y MANTEQUILLA

Ingredientes

4 dientes de ajo, finamente machacados
1 ramita de romero, hojas separadas, picadas
100g de mantequilla
1 cubo de caldo de res
500g de tagliatelle o tallarines
40g de queso parmesano, rallado

Preparación

1 En una cacerola pequeña colocar el ajo y el romero junto con la mantequilla. Saltear a fuego lento, revolviendo con frecuencia, durante 4 minutos o hasta que la mantequilla se derrita y se dore y el ajo esté suave. Desmenuzar el cubo de caldo, añadir a la mantequilla con hierbas, revolver hasta que se disuelva por completo.

2 En una cacerola grande hervir agua con sal, añadir la pasta y cocer de 2 a 3 minutos o hasta que esté suave y el centro firme (al dente). Añadir 2 cucharadas del líquido de cocción a la salsa de mantequilla, colar la pasta. Pasar la pasta a un platón caliente, verter la salsa encima y revolver bien. Servir con el queso parmesano. **Porciones 4**

PENNE CON PURÉ DE FRIJOLES CANNELLINI

Ingredientes

400g de frijoles claros de lata
1 diente de ajo, en cuartos
2 cucharadas de perejil, picado
½ cucharadita de salsa inglesa
⅓ taza de aceite de oliva extra virgen
Sal y pimienta negra
350g de penne
12 hojas de albahaca fresca, picadas
40g de queso parmesano, rallado

Preparación

1 Precalentar el horno a 140 °C. Colar los frijoles y reservar el líquido. En un procesador de alimentos colocar los frijoles, el ajo y el perejil. Procesar hasta que se suavicen, al mismo tiempo verter la salsa inglesa y el aceite. Verter suficiente líquido reservado de los frijoles para que la salsa obtenga consistencia de crema espesa. Sazonar y pasar a un refractario, hornear para calentar bien mientras se cuece la pasta.

2 En una cacerola grande hervir agua con sal, añadir la pasta y cocer durante 8 minutos o hasta que esté suave y el centro firme (al dente). Colar, pasar al recipiente con la mezcla de frijol y revolver bien. Decorar con albahaca y servir con queso parmesano. **Porciones 4**

cocina selecta

postres

PUDÍN DE ARROZ CARAMELIZADO CON CHABACANOS

Ingredientes

½ taza de arroz de grano largo
200g de azúcar extrafina
2 ramitas de vainilla, 1 partida por la mitad a lo largo
25g de mantequilla
2½ tazas de leche
½ tazas de crema
2 tiras de ralladura de limón amarillo
250g de chabacanos secos
Jugo de 1 limón amarillo
1-2 cucharadas de licor de naranja, como Cointreau

Preparación

1 En una cacerola colocar el arroz, cubrir con agua y hervir durante 5 minutos. Colar. Devolver el arroz a la cacerola junto con 40g del azúcar, la ramita de vainilla a la mitad, la mantequilla y la leche. Hervir a fuego lento de 45 a 60 minutos, revolviendo frecuentemente, hasta que espese. Pasar a un tazón y dejar enfriar durante 20 minutos. Retirar la ramita de vainilla, raspar las semillas y mezclarlas con el arroz. Desechar la ramita. Batir la crema hasta que forme picos suaves, incorporarla al arroz.

2 Mientras, en una cacerola colocar 100g del azúcar, la ralladura de limón, el resto de la vainilla y ⅔ de taza de agua. Calentar, revolviendo, durante 3 minutos o hasta que el azúcar se disuelva. Añadir los chabacanos y cocer durante 20 minutos para reducir el jarabe. Retirar la vainilla.

3 Colocar los chabacanos en cuatro moldes, añadir el jugo de limón, el licor y el jarabe, enfriar durante 5 minutos. Colocar encima el pudín de arroz, refrigerar durante 1 hora.

4 Precalentar la parrilla a intensidad alta. Espolvorear el resto del azúcar sobre los pudines. Asar bajo la parrilla de 1 a 2 minutos hasta que el azúcar se caramelice, dejar enfriar unos minutos. **Porciones 4**

PUDÍN DE ARROZ CON NARANJAS

Ingredientes

1 taza de arroz de grano medio
¾ taza de jugo de naranja
20g de mantequilla
½ taza de miel
Ralladura de 1 naranja
2 naranjas, peladas, finamente rebanadas
½ taza de mermelada de naranja
2 cucharaditas de jerez

Preparación

1 En 2 tazas de agua hervir el arroz hasta que se absorba el líquido, aproximadamente 15 minutos. Añadir ½ taza del jugo de naranja, 1 ½ tazas de agua y la mantequilla. Dejar que suelte el hervor, hervir a fuego lento hasta que el arroz esté muy tierno, aproximadamente 25 minutos.

2 Añadir la mantequilla, el resto del jugo y la ralladura de naranja. Colocar en un platón para servir. Colocar encima las rebanadas de naranja.

3 Calentar la mermelada junto con el jerez, verter sobre las rebanadas de naranja. Servir con crema o helado. **Porciones 4**

PUDÍN DE ARROZ CARAMELIZADO CON CHABACANOS

ARROZ CREMOSO CON PERAS Y MACADAMIAS

Ingredientes

1 taza de arroz Arborio o de grano corto

2 tazas de leche

2 cucharadas de azúcar morena

1 ramita de vainilla, partida por la mitad a lo largo

2 cucharadas de polvo de natillas

3 cucharadas de miel

1 cucharadita de comino molido

2 peras grandes, peladas, en rebanadas gruesas a lo largo

4 cucharadas de nueces de macadamia, asadas, picadas

Preparación

1 En una cacerola colocar el arroz, 3 tazas de agua, la miel y el azúcar. Sacar las semillas de la ramita de vainilla y añadirlas a la cacerola junto con la ramita, dejar que suelte el hervor. Reducir a fuego lento y hervir durante 20 minutos, revolviendo regularmente, hasta que el arroz esté suave.

2 Mezclar el polvo de natilla con 2 cucharadas de agua e incorporar a la mezcla del arroz. Continuar revolviendo hasta que la mezcla hierva, cocinar a fuego lento durante 2 minutos hasta que la mezcla espese. Retirar del fuego, tapar la superficie del arroz con plástico de cocina y dejar reposar mientras se preparan las peras.

3 En una cacerola calentar ligeramente la miel y la canela, añadir las rebanadas de peras en tandas y cocer a fuego medio hasta que se doren y se suavicen ligeramente. Retirar del fuego.

4 Retirar la ramita de vainilla, servir el arroz cremoso en tazones. Colocar las rebanadas de pera sobre el arroz y espolvorear encima las nueces de macadamia. **Porciones 4**

PUDÍN DE ARROZ CON PISTACHES

Ingredientes

½ taza de arroz basmati

1⅔ tazas de leche

375ml de leche evaporada

3 ramitas de cardamomo, sin las vainas, reservar las semillas (semillas aromáticas de sabor intenso, algo cítrico y dulce)

1 ramita de canela

50g de azúcar extrafino

2 cucharadas de almendras fileteadas, tostadas

25g de pistaches sin cáscara, picados

Preparación

1 Precalentar el horno a 150 °C. En una cacerola pequeña de base gruesa colocar el arroz y la leche evaporada, calentar a fuego lento sin dejar que hierva y sin tapar durante 10 minutos.

2 Engrasar con mantequilla un recipiente para horno. Pasar la mezcla al recipiente engrasado, incorporar las semillas de cardamomo, la canela, el azúcar, las almendras y los pistaches, reservar una cucharada para decorar. Hornear durante 2 horas o hasta que se reduzca y tome consistencia espesa, revolver la nata que se forme en la superficie cada 30 minutos. Retirar la ramita de canela. Servir caliente o frío, decorar con los pistaches reservados. **Porciones 4**

ARROZ CREMOSO CON DURAZNOS Y JENGIBRE

Ingredientes

½ taza de arroz de grano medio
2 tazas de leche
3 cucharadas de azúcar extrafina
1 cucharada de crema espesa, batida
400g de duraznos de lata, en mitades
¼ taza de jengibre glaseado, rebanado
2 cucharaditas de jugo de limón amarillo
2 cucharadas de jalea de grosella
3 cucharadas de arrurruz (harina extraída de la raíz de la Maranta)

Preparación

1 En una cacerola colocar el arroz y una taza de agua hasta que el agua se absorba, aproximadamente durante 5 minutos. Verter la leche a la cacerola y cocer a fuego lento hasta que el arroz esté suave, de 25 a 30 minutos. Agregar el azúcar y dejar enfriar. Incorporar la crema batida.

2 Colar los duraznos, reservar el líquido. Reservar 4 duraznos para decorar, picar el resto e incorporar al arroz junto con el jengibre glaseado. Colocar los duraznos reservados sobre el arroz. Licuar el líquido de los duraznos, el jugo de limón y la jalea de grosella. En una cacerola mezclar el arrurruz con un poco de agua y calentar a fuego medio, revolver hasta que hierva y espese. Mezclar con el líquido de los chabacanos y el jugo de limón, bañar sobre el arroz. Servir con crema batida extra y decorar con las almendras fileteadas. **Porciones 4**

RISOTTO DE MANZANAS Y PERAS CARAMELIZADAS

Ingredientes

40g de mantequilla
2 cucharadas de azúcar
1 cucharada de jarabe de maple
1 manzana golden, rebanada
1 pera, rebanada
1 cucharadita de canela, molida
1 ¼ tazas de jugo de manzana
1 taza de arroz Arborio o de grano corto
¼ taza de vino blanco
⅓ taza de crema agria

Preparación

1 En una sartén de teflón calentar ¾ de la mantequilla junto con el azúcar y el jarabe de maple, hervir hasta que tenga consistencia de jarabe, aproximadamente 3 minutos. Agregar la fruta rebanada, la canela y revolver. Cocinar a fuego lento hasta que la fruta se caramelice y esté dorada, aproximadamente de 10 a 15 minutos. Reservar.

2 Mezclar el jugo de naranja con ⅔ de agua, calentar hasta que suelte el hervor. En una cacerola derretir el resto de la mantequilla y el arroz, revolviendo para cubrirlo. Dejar que el arroz absorba la mantequilla, añadir el vino, revolviendo constantemente hasta que se absorba.

3 Verter ½ taza del jugo de manzana caliente a la mezcla del arroz y cocer, revolviendo constantemente, hasta que el líquido se absorba. Repetir con otra taza de jugo.

4 Añadir las manzanas y las peras caramelizadas y revolver bien. Continuar añadiendo el resto del jugo de manzana de la misma manera hasta que se haya absorbido por completo.

5 Retirar la sartén del fuego y añadir la mitad de la crema agria. Revolver bien. Servir en platones individuales, decorar con el resto de la crema agria y esparcir un poco de canela extra. **Porciones 4**

RISOTTO CON CHAMPAÑA Y FRESAS

Ingredientes

1 ¼ tazas de agua
75g de azúcar
20g de mantequilla
100g de fresas, enteras, más 100g picadas
1 taza de arroz Arborio o de grano corto
¾ taza de champaña
1 cucharadita de jarabe o licor de fresa
4 galletas soletas

Preparación

1 En una sartén pequeña colocar el agua y el azúcar, mezclar y dejar que suelte el hervor. Hervir a fuego lento.

2 Calentar la mantequilla y saltear las fresas picadas hasta que estén suaves. Agregar el arroz y revolver bien para cubrirlo, cocer durante un momento hasta que la mantequilla se absorba. Verter la champaña y hervir a fuego lento, revolviendo constantemente, hasta que se absorba.

3 Verter ½ taza del jarabe de azúcar caliente a la mezcla del arroz y cocer, revolviendo constantemente, hasta que el líquido se absorba. Continuar cociendo de la misma manera hasta usar todo el jarabe y que el arroz esté suave.

4 Retirar la sartén del fuego. Añadir el resto de las fresas y el jarabe de fresa, revolver bien. Servir de inmediato sobre las galletas soletas, colocar encima un poco de jarabe extra. **Porciones 4**

PARFAIT DE CEREZAS JUBILEE

Ingredientes

1½ tazas de arroz de grano medio, cocido

20g de mantequilla

1 ½ tazas de leche

½ tazas de azúcar

425g de cerezas de lata

85g de grenetina

Preparación

1 En una cacerola colocar el arroz, la mantequilla, la leche y el azúcar. Hervir a fuego lento, revolver ocasionalmente, hasta que la mezcla esté cremosa, 15 minutos aproximadamente. Enfriar.

2 Colar las cerezas y reservar el líquido. Mezclar el jugo de las cerezas reservado con suficiente agua para llenar 1½ tazas, usarlo para hacer la grenetina siguiendo las instrucciones del paquete. Añadir las cerezas cuando esté casi cuajada, enfriar hasta que cuaje.

3 En tazas para servir alternar capas de arroz cremoso y de gelatina. Colocar la crema encima. **Porciones 4**

POSTRE DE ARROZ CON CIRUELAS Y CHABACANOS

Ingredientes

3 tazas de arroz de grano medio, cocido

½ taza de miel, derretida

425g de ciruelas de lata

425g de chabacanos de lata, en mitades

1 cucharada de jerez

Jugo y ralladura de 1 naranja

1 cucharada de gelatina

1 taza de malvaviscos, picados

1 taza de crema espesa, batida

¼ taza de almendras, tostadas

Preparación

1 Mezclar el arroz con la miel. Colar las ciruelas y los chabacanos, reservar los líquidos. Licuar el jerez junto con el jugo y la ralladura de naranja.

2 Disolver la gelatina en ½ taza de agua caliente, mezclar con los líquidos.

3 Reservar un poco de fruta para decorar, incorporar el resto junto con el arroz y la mezcla de la gelatina. Incorporar bien. Añadir los malvaviscos y la mitad de la crema batida.

4 Servir en un platón y meter al congelador. Decorar con la crema batida, la fruta reservada y espolvorear las almendras. **Porciones 4**

RISOTTO CÍTRICO

Ingredientes

20g de mantequilla
2 cucharadas de azúcar
Ralladura de 1 limón amarillo
Ralladura de 1 limón verde
Ralladura de 1 naranja
1 taza de arroz Arborio o de grano corto
¼ taza de vino blanco
1½ tazas de jugo de naranja, caliente
1 naranja, en gajos
Jugo de 1 limón amarillo
Jugo de 1 limón verde
2 cucharadas de azúcar
50g de almendras fileteadas, tostadas

Preparación

1 En una cacerola mezclar la mantequilla, el azúcar y las ralladuras. Revolver bien y saltear hasta que la mezcla esté caliente y suelte el aroma. Agregar el arroz, revolver bien y cocer durante 2 minutos.

2 Verter el vino blanco y mezclar bien, revolviendo hasta que se absorba. Verter ½ taza del jugo de naranja caliente y cocer hasta que el líquido se absorba, revolviendo constantemente. Continuar cociendo de la misma manera hasta utilizar todo el líquido y que el arroz esté suave.

3 Añadir los gajos de naranja, el jugo de los limones y el azúcar, decorar con las almendras tostadas. **Porciones 4**

PUDÍN DE COCO

Ingredientes

2 tazas de crema
3 tazas de leche
⅔ taza de arroz para sushi (ver página 10)
3 cucharadas de azúcar de palma
1 hoja de pandano (planta aromática de la cocina asiática), cortada en 4 trozos
150g de macarrones, en trozos

Preparación

1 En una cacerola mediana combinar la crema, la leche, el arroz, el azúcar y la hoja de pandano. Dejar que hierva a fuego lento durante 30 minutos, revolviendo constantemente.

2 Retirar la hoja de pandano, cortar un trozo en tiras para decorar. Agregar los macarrones y cocer durante 10 minutos más. Dividir la mezcla del arroz en 4 platos individuales de vidrio.

3 Colocar encima azúcar de palma extra y una tira de pandano. **Porciones 4**

ARROZ CON FRUTAS

Ingredientes

2 ½ tazas de jugo de naranja
3 tazas de arroz de grano medio, cocido
2 cucharadas de miel
1 taza de crema espesa, batida
2 kiwis, rebanados
¼ melón, en cubos
½ papaya, en cubos
250g de fresas, rebanadas
3 maracuyás

Preparación

1 En una cacerola calentar el jugo de naranja, añadir el arroz, dejar que suelte el hervor y bajar a fuego lento. Revolver ocasionalmente hasta que casi todo el jugo se haya absorbido, aproximadamente 10 minutos. Retirar del fuego, añadir la miel y dejar enfriar.

2 Incorporar la crema batida al arroz. Mezclar los kiwis, el melón, la papaya y las fresas, colocar las frutas en un círculo sobre el arroz. Colocar encima la pulpa de los maracuyás y servir con crema batida extra. **Porciones 4**

PUDÍN DE COCO

RISOTTO DE HIGOS Y RUIBARBOS

Ingredientes

¾ taza de jugo de naranja
75g de azúcar
4 tallos de ruibarbo, sólo la parte roja
20g de mantequilla
5 higos secos, en mitades
1 taza de arroz Arborio o de grano corto
20g de queso mascarpone
4 higos frescos
1 cucharada de azúcar morena

Preparación

1 Mezclar el jugo de naranja, el azúcar y 1½ tazas de agua, hervir a fuego lento durante 10 minutos.

2 Rebanar el ruibarbo en trozos de 2 cm. En una sartén grande calentar la mantequilla, añadir el ruibarbo y los higos secos, saltear durante 3 minutos.

3 Agregar el arroz a la cacerola y cocer a fuego medio, revolviendo constantemente, durante 3 minutos o hasta que el arroz esté transparente. Verter a la mezcla 1 taza del jugo de naranja caliente y cocer hasta que el líquido se absorba, revolviendo constantemente. Continuar cociendo de la misma manera hasta usar todo el jugo y que el arroz esté suave. Agregar el queso mascarpone y revolver bien.

4 Cortar los higos frescos en mitades, espolvorear un poco de azúcar moreno en cada superficie. Asar la fruta con el azúcar hacia arriba hasta que se caramelice, aproximadamente 2 minutos. Colocar el risotto en tazones individuales y colocar encima los higos asados. **Porciones 4**

LASAÑA DE MORAS MIXTAS Y QUESO RICOTTA

Ingredientes

500g de queso ricotta
1 cucharada de azúcar glas
1 cucharadita de extracto de vainilla
6 láminas de lasaña, gruesas
2 tazas de moras mixtas
3 cucharadas de nueces, picadas

Preparación

1 En un tazón colocar el queso ricotta, el azúcar glas y la vainilla. Batir hasta que se incorpore y la mezcla esté suave. Tapar y congelar hasta usarse.

2 En una cacerola grande hervir agua con sal, añadir la pasta y cocer durante 8 minutos o hasta que esté suave y el centro firme (al dente). Colar bien.

3 Cortar cada lámina de lasaña a la mitad. Colocar las láminas en una charola caliente para horno forrada con papel encerado.

4 Para armar, esparcir ¼ de taza de la mezcla del queso en cada plato para servir, colocar encima un cuadrado de lasaña. Espolvorear ligeramente con un poco de azúcar glas extra, esparcir las moras encima y colocar otra lámina de lasaña. Esparcir el resto de la mezcla del queso. Repartir las nueces encima junto con un poco de azúcar glas. Servir de inmediato. **Porciones 4**

glosario

Aceite de ajonjolí tostado (también llamado aceite de ajonjolí oriental): aceite oscuro poliinsaturado con punto de ebullición bajo. No debe reemplazarse por aceite más claro.

Aceite de cártamo: aceite vegetal que contiene la mayor proporción de grasas poliinsaturadas.

Aceite de oliva: diferentes grados de aceite extraído de las aceitunas. El aceite de oliva extra virgen tiene un fuerte sabor afrutado y el menor grado de acidez. El aceite de oliva virgen es un poco más ácido y con un sabor más ligero. El aceite de oliva puro es una mezcla procesada de aceites de oliva, tiene el mayor grado de acidez y el sabor más ligero.

Acremar: hacer suave y cremoso al frotar con el dorso de una cuchara o al batir con una batidora. Por lo general se aplica a la grasa y al azúcar.

Agua acidulada: agua con un ácido añadido, como jugo de limón o vinagre, que evita la decoloración de los ingredientes, en particular de la fruta o las verduras. La proporción de ácido con agua es 1 cucharadita por cada 300ml

A la diabla: platillo o salsa ligeramente sazonado con un ingrediente picante como mostaza, salsa inglesa o pimienta de Cayena.

Al dente: término italiano para cocinar que se refiere a los ingredientes cocinados hasta que estén suaves pero firmes al morderlos, por lo general se aplica para la pasta.

Al gratín: alimentos espolvoreados con pan molido, por lo general cubiertos de una salsa de queso y dorados hasta que se forma una capa crujiente.

Amasar: trabajar la masa usando las manos aplicando presión con la palma de la mano, y estirándola y doblándola.

Américaine: método para servir pescados y mariscos, por lo general langostas y rapes, en una salsa de aceite de oliva, hierbas aromáticas, tomates, vino tinto, caldo de pescado, brandy y estragón.

Anglaise: estilo de cocinar que se refiere a platillos cocidos simples, como verduras hervidas. Assiette anglaise es un plato de carne cocida fría.

Antipasto: término italiano que significa "antes de la comida", se refiere a una selección de carnes frías, verduras, quesos, por lo general marinados, que se sirven como entremés. Un antipasto típico incluye salami, prosciutto, corazones de alcachofa marinados, filetes de anchoas, aceitunas, atún y queso provolone.

Asafétida: planta herbácea perenne nativa de Irán. La savia seca se usa como especia. Tiene un sabor parecido a la cebolla y al ajo.

Bañar: humedecer la comida durante la cocción vertiendo o barnizando líquido o grasa.

Baño María: una cacerola dentro de una sartén grande llena de agua hirviendo para mantener los líquidos en punto de ebullición.

Batir: agitar vigorosamente, mover rápidamente para incorporar aire y provocar que el ingrediente se expanda.

Beurre manié: cantidades iguales de mantequilla y harina amasadas y añadidas, poco a poco, para espesar un caldo.

Blanc: líquido que se hace al añadir harina y jugo de limón al agua para evitar que ciertos alimentos se decoloren durante la cocción.

Blanquear: sumergir en agua hirviendo y después, en algunos casos, en agua fría. Las frutas y las nueces se blanquean para quitarles la piel con mayor facilidad.

Blanquette: estofado blanco de cordero, ternera o pollo cubiertos de yemas de huevo y crema, acompañado de cebolla y champiñones.

Bonne femme: platos cocinados al tradicional estilo francés "ama de casa". El pollo y el cerdo bonne femme se acompañan de tocino, papas y cebollas baby; el pescado bonne femme con champiñones en una salsa de vino blanco.

Bouquet garni: un conjunto de hierbas, por lo general de ramitas de perejil, tomillo, mejorana, romero, una hoja de laurel, granos de pimienta y clavo en un pequeño saco que se utiliza para dar sabor a estofados y caldos.

Brasear: cocer piezas enteras o grandes de aves, animales de caza, pescados, carnes o verduras en una pequeña cantidad de vino, caldo u otro líquido en una cacerola cerrada. El ingrediente principal se fríe primero en grasa y se cuece al horno o sobre la estufa. Esta técnica es ideal para carnes duras y aves maduras, produce una rica salsa.

Caldo: líquido que resulta de cocer carne, huesos y/o verduras en agua para hacer una base para sopas y otras recetas. Se puede sustituir el caldo fresco por caldo en cubitos, aunque es necesario verificar el contenido de sodio para las dietas reducidas en sal.

Calzone: paquetito semicircular de masa para pizza relleno de carne o verduras, sellado y horneado.

Caramelizar: derretir el azúcar hasta que forme un jarabe dorado-café.

Carne magra: la grasa y los cartílagos son retirados de la carne de un hueso y la carne queda virtualmente sin grasa.

Cernir: pasar una sustancia seca en polvo por un colador para retirar grumos y que sea más ligera.

Chasseur: término francés que significa "cazador". Es un estilo de platillo en el que se cuecen carnes y pollos con champiñones, cebollas de cambray, vino blanco y tomate.

Concasser: picar grueso, por lo general se refiere a tomates.

Confitar: preservar alimentos en conserva al cocerlos de manera muy lenta hasta que estén tiernos. En el caso de la carne como la carne de pato o de ganso, se cuece en su propia grasa para que la carne no entre en contacto con el aire. Algunas verduras como la cebolla se hacen confitadas.

Consomé: sopa ligera hecha, por lo general, de res.

Couli: puré ligero hecho de frutas o verduras frescas o cocidas, con la consistencia suficiente para ser vertido. Su consistencia puede ser rugosa o muy suave.

Crepa: mezcla dulce o salada con forma de disco plano.

Crudités: verduras crudas cortadas en rebanadas o tiras para comer solas o con salsa, o verduras ralladas como ensalada con un aderezo sencillo.

Crutones: pequeños cubos de pan tostados o fritos.

Cuajar: hacer que la leche o una salsa se separe en sólido y líquido, por ejemplo, mezclas de huevo sobrecocidas.

Cubrir: forrar con una ligera capa de harina, azúcar, nueces, migajas, semillas de ajonjolí o de amapola, azúcar con canela o especias molidas.

Cuscús: cereal procesado a partir de la sémola, tradicionalmente se hierve y se sirve con carne y verduras, es el típico platillo del norte de África.

Decorar: adornar la comida, por lo general se usa algo comestible.

Derretir: calentar hasta convertir en líquido.

Desglasar: disolver el jugo de cocción solidificado en la sartén al añadirle líquido, raspar y mover vigorosamente mientras el líquido suelta el hervor. Los jugos de cocción se pueden usar para hacer gravy o para añadirse a la salsa.

Desgrasar: retirar la grasa de la superficie de un líquido. Si es posible, el líquido debe estar frío para que la grasa esté sólida. En caso contrario, retirar la grasa con una cuchara grande de metal y pasar un pedazo de papel absorbente por la superficie del líquido para retirar los restos.

Desmenuzar: separar en pequeños trocitos con un tenedor.

Despiezar: cortar las aves, animales de caza o animales pequeños en piezas divididas en los puntos de las articulaciones.

Disolver: mezclar un ingrediente seco con líquido hasta que se absorba.

Emulsión: mezcla de dos líquidos que juntos son indisolubles, como el agua y el aceite.

En cubos: cortar en piezas con seis lados iguales.

Engrasar: frotar o barnizar ligeramente con aceite o grasa.

Ensalada mixta: guarnición de verduras, por lo general zanahorias, cebollas, lechuga y tomate rojo.

Entrada: en Europa significa aperitivo, en Estados Unidos significa plato principal.

Escaldar: llevar justo al punto de ebullición, por lo general se usa para la leche. También significa enjuagar en agua hirviendo.

Espesar: hacer que un líquido sea más espeso al mezclar arrurruz, maicena o harina en la misma cantidad de agua fría y verterla al líquido caliente, cocer y revolver hasta que espese.

Espolvorear: esparcir o cubrir ligeramente con harina o azúcar glas.

Espumar: retirar una superficie (por lo general, de impurezas) de un líquido usando una cuchara o pala pequeña.

Fenogreco: pequeña hierba anual de la familia del chícharo. Sus semillas se usan para sazonar. El fenogreco molido tiene un fuerte sabor dulce, como a maple, picante y amargo, su aroma es de azúcar quemada.

Fibra dietética: parte de algunos alimentos que el cuerpo humano no digiere o lo hace parcialmente y que promueve la sana digestión de otras materias alimenticias.

Filete: corte especial de la res, cordero, cerdo, ternera, pechuga de aves, pescado sin espinas cortado a lo largo.

Fileteado: rebanado en trozos largos y delgados, se refiere a las nueces, en especial a las almendras.

Flamear: prender fuego al alcohol sobre la comida.

Fondo: líquido en el que el pescado, las aves o la carne es cocido. Consiste en agua con hojas de laurel, cebolla, zanahoria, sal y pimienta negra recién molida. Entre otros ingredientes se incluyen vino, vinagre, caldo, ajo o cebollas de cambray.

Forrar: cubrir el interior de un recipiente con papel para proteger o facilitar del desmolde.

Freír: cocinar en una pequeña cantidad de grasa hasta que dore.

Freír revolviendo: cocinar rebanadas delgadas de carne y verduras a fuego alto con una pequeña cantidad de aceite, sin dejar de revolver. Tradicionalmente se fríe en un wok, aunque se puede usar una sartén de base gruesa.

Fricassée: platillo que incluye aves, pescado o verduras con salsa blanca o veloute. En Gran Bretaña y

Estados Unidos, el nombre se aplica a un antiguo platillo de pollo en una salsa cremosa.

Frotar: método para incorporar grasa con harina usando sólo las puntas de los dedos. También incorpora aire a la mezcla.

Galangal: miembro de la familia del jengibre conocido popularmente como jengibre de Laos. Tiene un ligero sabor a pimienta con matices de jengibre.

Ganache: relleno o glasé hecho de crema entera, chocolate y/u otros sabores que se usa para cubrir las capas de algunos pasteles de chocolate.

Glaseado: cubierta delgada de huevo batido, jarabe o gelatina que se barniza sobre galletas, frutas o carnes cocidas.

Gluten: proteína de la harina que se desarrolla al amasar la pasta y la hace elástica.

Grasa poliinsaturada: uno de los tres tipos de grasas que se encuentran en la comida. Se encuentra en grandes cantidades en aceites vegetales como el aceite de cártamo, de girasol, de maíz y de soya. Este tipo de grasa disminuye el nivel de colesterol en la sangre.

Grasa total: ingesta diaria individual de los tres tipos de grasa antes descritos. Los nutriólogos recomiendan que la grasa aporte no más del 35 por ciento de la energía diaria de la dieta.

Grasas monoinsaturadas: uno de los tres tipos de grasas que se encuentran en los alimentos. Se cree que este tipo de grasas no eleva el nivel de colesterol en la sangre.

Grasas saturadas: uno de los tres tipos de grasas que encontramos en los alimentos. Existen en grandes cantidades en productos animales, en aceites de coco y palma. Aumentan los niveles de colesterol en la sangre. Puesto que los niveles altos de colesterol causan enfermedades cardiacas, el consumo de grasas saturadas debe ser menor al 15 por ciento de la ingesta diaria de calorías.

Gratinar: platillo cocido al horno o bajo la parrilla de manera que desarrolla una costra color café. Se hace espolvoreando queso o pan molido sobre el platillo antes de hornear. La costra gratinada queda muy crujiente.

Harina sazonada: harina a la que se añade sal y pimienta.

Hervir a fuego lento: cocer suavemente la comida en líquido que burbujea de manera uniforme justo antes del punto de ebullición para que se cueza parejo y que no se rompa.

Hojas de parra: hojas tiernas de vid, con sabor ligero, que se usan para envolver mezclas. Las hojas deben lavarse bien antes de usarse.

Humedecer: devolver la humedad a los alimentos deshidratados al remojarlos en líquido.

Incorporar ligeramente: combinar moderadamente una mezcla delicada con una mezcla más sólida, se usa una cuchara de metal.

Infusionar: sumergir hierbas, especias u otros saborizantes en líquidos calientes para darles sabor. El proceso tarda de 2 a 5 minutos, dependiendo del sabor. El líquido debe estar muy caliente sin que llegue a hervir.

Juliana: cortar la carne en tiras del tamaño de un cerillo.

Laqueado: azúcar caramelizada desglasada con vinagre que se usa en las salsas de múltiples sabores para platillos como pato a la naranja.

Licuar: mezclar completamente.

Macerar: remojar alimentos en líquido para ablandarlos.

Mantequilla clarificada: derretir la mantequilla y separar el aceite del sedimento.

Mantequilla clarificada por ebullición: proceso que consiste en separar la mantequilla (sólido y líquido) al hervirla.

Marcar: hacer cortes superficiales en la comida para evitar que se curve o para hacerla más atractiva.

Marinada: líquido sazonado, por lo general es una mezcla aceitosa y ácida, en el que se remojan los alimentos para suavizarlos y darles más sabor.

Marinar: dejar reposar los alimentos en una marinada para sazonarlos y suavizarlos.

Marinara: estilo "marinero" italiano de cocinar que no se refiere a ninguna combinación especial de ingredientes. La salsa marinara de tomate para pasta es la más común.

Mariposa: corte horizontal en un alimento de manera que, al abrirlo, queda en forma de alas de mariposa. Los filetes, los langostinos y los pescados gruesos por lo general se cortan en mariposa para que se cuezan más rápido.

Mechar: introducir. Por ejemplo, introducir clavos al jamón horneado.

Mezclar: combinar los ingredientes al revolverlos.

Molde: pequeño recipiente individual para hornear de forma oval o redonda.

Nicoise: clásica ensalada francesa que consiste en tomates rojos, ajo, aceitunas negras, anchoas, atún y judías.

Noisette: pequeña "nuez" de cordero cortada del lomo o costillar que se enrolla y se corta en rebanadas. También significa dar sabor con avellanas o mantequilla cocida hasta que obtenga un color café avellana.

Normande: estilo para cocinar pescado con acompañamiento de camarones, mejillones y champiñones en vino blanco o salsa cremosa; para aves y carnes con una salsa con crema, brandy calvados y manzana.

Pan naan: pan ligeramente fermentado que se utiliza en la cocina india.

Papillote: cocer la comida en papel encerado o papel de aluminio barnizado con grasa o mantequilla. También se refiere a la decoración que se coloca para cubrir los extremos de las patas de las aves.

Paté: pasta hecha de carne o mariscos que se usa para untar sobre pan tostado o galletas.

Paupiette: rebanada delgada de carne, aves o pescado untada con un relleno y enrollada. En Estados Unidos se le llama "bird" y en Gran Bretaña "olive".

Pelar: quitar la cubierta exterior.

Picar fino: cortar en trozos muy pequeños.

Pochar: hervir ligeramente en suficiente líquido caliente para que cubra al alimento, con cuidado de mantener su forma.

Puré: pasta suave de verduras o frutas que se hace al pasar los alimentos por un colador, licuarlos o procesarlos.

Quemar las plumas: flamear rápidamente las aves para eliminar los restos de las plumas después de desplumar.

Rábano daikon: rábano japonés que es blanco y largo.

Ragú: tradicionalmente, cocido sazonado que contiene carne, verduras y vino. Hoy en día se aplica el término a cualquier mezcla cocida.

Ralladura: delgada capa exterior de los cítricos que contiene el aceite cítrico. Se obtiene con un pelador de verduras o un rallador para separarla de la cubierta blanca debajo de la cáscara.

Reducir: cocer a fuego muy alto, sin tapar, hasta que el líquido se reduce por evaporación.

Refrescar: enfriar rápidamente los alimentos calientes, ya sea bajo el chorro de agua fría o al sumergirlos en agua con hielo, para evitar que sigan cociéndose. Se usa para verduras y algunas veces para bivalvos.

Revolcar: cubrir con un ingrediente seco, como harina o azúcar.

Risotto: comida tradicional italiana realizada a base de arroz.

Rociar: verter con un chorro fino sobre una superficie.

Roulade: masa o trozo de carne, por lo general de cerdo o ternera, relleno, enrollado y braseado o pochado.

Roux: para integrar salsas y se hace de harina con mantequilla o alguna otra sustancia grasosa, a la que se añade un líquido caliente. Una salsa con base de roux puede ser blanca, rubia o dorada, depende de la cocción de la mantequilla.

Salsa: jugo derivado de la cocción del ingrediente principal, o salsa añadida a un platillo para aumentar su sabor. En Italia el término suele referirse a las salsas para pasta.

Saltear: cocer o dorar en pequeñas cantidades de grasa caliente.

Sancochar: hervir o hervir a fuego lento hasta que se cueza parcialmente (más cocido que al blanquear).

Sartén de base gruesa: cacerola pesada con tapa hecha de hierro fundido o cerámica.

Sartén de teflón: sartén cuya superficie no reacciona químicamente ante la comida, puede ser de acero inoxidable, vidrio y de otras aleaciones.

Sellar: dorar rápidamente la superficie a fuego alto.

Souse: cubrir la comida, en especial el pescado, con vinagre de vino y especias y cocer lentamente, la comida se enfría en el mismo líquido.

Sudar: cocer alimentos rebanados o picados, por lo general verduras, en un poco de grasa y nada de líquido a fuego muy lento. Se cubren con papel aluminio para que la comida se cueza en sus propios jugos antes de añadirla a otros ingredientes.

Suero de leche: cultivo lácteo de sabor penetrante, su ligera acidez lo hace una base ideal para marinadas para aves.

Sugo: salsa italiana hecha del líquido o jugo extraído de la fruta o carne durante la cocción.

Timbal: mezcla cremosa de verduras o carne horneada en un molde. También se refiere a un platillo horneado en forma de tambor de la cocina francesa.

Trigo bulgur: tipo de trigo en el que los granos se cuecen al vapor y se secan antes de ser machacados.

Verduras crucíferas: ciertos miembros de la familia de la mostaza, la col y el nabo con flores cruciformes y fuertes aromas y sabores.

Vinagre balsámico: vinagre dulce, extremadamente aromático, con base de vino que se elabora en el norte de Italia. Tradicionalmente, el vinagre se añeja durante 7 años por lo menos en barriles de diferentes tipos de madera.

Vinagre de arroz: vinagre aromático que es menos dulce que el vinagre de sidra y no tan fuerte como el vinagre de malta destilado. El vinagre de arroz japonés es más suave que el chino.

índice

pesos y medidas

Cocinar no es una ciencia exacta, no son necesarias básculas calibradas, ni tubos de ensayo, ni equipo científico para cocinar, aunque la conversión de las medidas métricas en algunos países y sus interpretaciones pueden intimidar a cualquier buen cocinero.

En las recetas se dan los pesos para ingredientes como carnes, pescados, aves y algunas verduras, pero en la cocina convencional, unos gramos u onzas de más o de menos no afectan el éxito de tus platillos.

Aunque las recetas se probaron con el estándar australiano de 1 taza/250ml, 1 cucharada/20ml y 1 cucharadita/5ml, funcionan correctamente para las medidas de Estados Unidos y Canadá de 1 taza/8fl oz, o del Reino Unido de 1 taza/300ml. Preferimos utilizar medidas de tazas graduadas y no de cucharadas para que las proporciones sean siempre las mismas. Donde se indican medidas en cucharadas, no son medidas exactas, de manera que si usas la cucharada más pequeña de EU o del Reino Unido el sabor de la receta no cambia. Por lo menos estamos todos de acuerdo en el tamaño de la cucharadita.

En el caso de panes, pasteles y galletas, la única área en la que puede haber confusión es cuando se usan huevos, puesto que las proporciones varían. Si tienes una taza medidora de 250ml o de 300ml, utiliza huevos grandes (65g/2¼ oz) y añade un poco más de líquido a la receta para las medidas de tazas de 300ml si crees que es necesario. Utiliza huevos medianos (55g/2oz) con una taza de 8fl oz. Se recomienda usar tazas y cucharas graduadas, las tazas en particular para medir ingredientes secos. No olvides nivelar estos ingredientes para que la cantidad sea exacta.

Medidas inglesas

Todas las medidas son similares a las australianas, pero hay dos excepciones: la taza inglesa mide 300ml/10½ fl oz, mientras que las tazas americana y australiana miden 250ml/8¾ fl oz. La cucharada inglesa mide 14.8ml/½ fl oz y la australiana mide 20ml/¾ fl oz. La medida imperial es de 20fl oz para una pinta, 40fl oz para un cuarto y 160fl oz para un galón.

Medidas americanas

La pinta americana es de 16fl oz, un cuarto mide 32fl oz y un galón americano es de 128fl oz; la cucharada americana es igual a 14.8ml/½ fl oz, la cucharadita mide 5ml/⅙ fl oz. La medida de la taza es de 250ml/ 8¾ fl oz.

Medidas secas

Todas las medidas son niveladas, así que cuando llenes una taza o cuchara nivélala con la orilla de un cuchillo. La siguiente escala es el equivalente para cocinar, no es una conversión exacta del sistema métrico al imperial. Para calcular el equivalente exacto multiplica las onzas por 28.349523 para obtener gramos, o divide 28.349523 para obtener onzas.

Métrico gramos (g), kilogramos (kg)	Imperial onzas (oz), libras (lb)
15g	½ oz
20g	⅓ oz
30g	1 oz
55g	2 oz
85g	3 oz
115g	4 oz/¼ lb
125g	4½ oz
140/145g	5oz
170g	6oz
200g	7oz
225g	8 oz/½ lb
315g	11 oz
340g	12 oz/¾ lb
370g	13 oz
400g	14 oz
425g	15 oz
455g	16 oz/1 lb
1,000g/1kg	35.3oz/2 ¼ lb
1.5kg	3.33lb

Temperaturas del horno

Las temperaturas en grados Centígrados no son exactas, están redondeadas y se dan sólo como guía. Sigue las indicaciones de temperatura del fabricante del horno en relación a la descripción del horno que se da en la receta. Recuerda que los hornos de gas son más calientes en la parte superior; los hornos eléctricos son más calientes en la parte inferior y los hornos con ventilador son más uniformes. Para convertir °C a °F multiplica los °C por 9, divide el resultado entre 5 y súmale 32.

	C°	F°	Gas regulo
Muy ligero	120	250	1
Ligero	150	300	2
Moderadamente ligero	160	325	3
Moderado	180	350	4
Moderadamente caliente	190–200	370–400	5–6
Caliente	210–220	410–440	6–7
Muy caliente	230	450	8
Súper caliente	250–290	475–500	9–10